谿聲山花

伊藤　勳

論創社

谿聲山花

プロローグ

山靈

深く切れ込んだ谷の底から
向かひにそそり立つ山に守られて
洶々と流れ下る木曾の川音は
早ここではあるかなきか
うたた寝のささやき聲となつて
這ひのぼつてくる
山隠れて行き止まりをほのめかす
狭まる岨路をさらに辿れば
忘れられた記憶がここに
日の光に晒されて
甕のなかでほの赤いいのちを
輝かせてゐる

満たされた清冽な水に
めだかは光に鋭く應へる
目は波うつ檜の
廣袤（くわうぼう）の限りになぞつてゆく
目は樹海となり
樹海は目を呑み込んでゆく
いつぞやは歸らねばならない
この無情のふところ
いま縁側に交はす言葉は
淺い春の澄んだ日射しをふるはせる
一念の風となつて流れてゆく

谿聲山花　目次

プロローグ　山　靈　2

第一章　折節の記

Ⅰ　幾冬すぎて　12
Ⅱ　肉聲、その言葉と形　51
Ⅲ　マルコ・ポーロの知的好奇心と商魂　55
Ⅳ　ペイターと日本　61
Ⅴ　昭和天皇御製と福田陸太郎先生　68
Ⅵ　青木年広画伯、その藝術人生　74
Ⅶ　青木藝術の透明性　84
Ⅷ　クレタ絵画雑感　86
Ⅸ　英国の地霊に触れて　89
Ⅹ　英国の日本趣味　116

XI　もう一人のペイタリアン――川村二郎氏　118
XII　流れ　世田谷文学館、「没後二十年西脇順三郎展」に寄せて　124
XIII　ペイターの受容　126
XIV　西脇順三郎におけるワイルド　131

第二章　読書随感

I　俯瞰的相対主義の批評精神　沓掛良彦著『ギリシアの抒情詩人たち　竪琴の音にあわせ』　138
II　書評『修羅と永遠　西川徹郎論集成』　143
III　マロックを読む　澤井　勇訳『新しい国家』　147
IV　詩人緒方登摩と新詩集『稜線』について　164
V　福田陸太郎著作集――第四巻『詩と詩論』　175
VI　福田陸太郎詩集『カイバル峠往還』　185
VII　生のなつかしさ　工藤好美著『文学のよろこび』――「家のなかの天使」　189
VIII　工藤好美著『ことばと文学』に寄せて　198

第三章　薤露

I　武田勝彦先生追悼　218

II　薤露　加藤郁乎先生　222

III　福田陸太郎先生のこと　226

第四章　欧州の友に寄せて

I　Codrescu and *Haijin* of North America—Nature is Mind: Ion Codrescu's *The Wanderer Brush*　261

II　Spinei's Self-effacement and Sympathy for All Living Things: Vasile Spinei's *Eglantine Hedge*　254

III　Codrescu in the Line of Descent of Couchoud, the Eminent Appreciator of Haikai: Ion Codrescu's *Something Out of Nothing*　245

IV　Codrescu's Art of Relationship beyond the European Conventional Symbolism: Ion Codrescu's *HAÏGA: Peindre en poésie*　241

エピローグ　中山道　264
あとがき　266
初出一覧　281
索引　301

第一章　折節の記

I　幾冬すぎて

一　想像力の衰頽

大学の外国語教育では今や文学作品を原書で読むということは、すっかり廃れてしまった。それと歩調を合わせるかのように、平成三十年の夏、高等学校の新指導要領が発表され、令和四年から高校の国語の教科書も大きく変わってゆく。上級校への進学希望者達は論理国語、文学国語、国語表現、古典国語の四科目のうちから、二科目選ぶことになると言う。センター試験に代わって共通テストに移ると実用文しか出題されないので、殆どの高校は論理国語と古典国語を選ぶことになるだろうと、文学関係者の間では今から危惧されている。論理国語というのは、例えば駐車場の契約書など簡単な契約書、地方自治体の条例、校則などが扱われるようである。このような由々しき動向に日本文藝家協会でも、その対策に関し議論が数回にわたって重ねられている。

文章には字面に現れない含みというものがある。はや現代日本人には、その含みを読み取ろうとしない傾向も窺われる。それは例えば、母親が子供に自分の使つた茶碗は自分で洗っておきなさいと指示すると、茶碗だけ洗って箸や湯呑みは洗わないといった類の受け止め方である。言われたことしかやらない。外国語の問題作成において内容を問う文章題を作る場合でも、文脈から必然的に解答が導き出されるにも拘わらず、言語学系の教員が関わると、文章のどこにそんなことが書いてあるのかと異議を言い立てる者が出てくる。明確に言葉で表記されていないと、作者の言わんとすることが読み取れないのだ。驚くべき想像力の衰頽である。

二　機械論的宇宙観の濫觴

この衰頽は万象の有機的な繋がりを顧慮しない機械論の物質還元主義にその原因がある。いのちあるものを相互の繋がりをもたぬ物質としてしか見ていないのである。『涅槃経』にかの有名な一節、「一切衆生、悉有仏性」という言葉がある。通常、これは「一切衆生、悉く仏性を有す」と読んでいるが、道元は「悉有」を全存在の意味に取っている。それはともかくこの一節は、宇宙はひとつの生命的原理で繋がれており、万象が個々その生命的原理を分有していることを教えている。プラトーンもこれと全く同じ考え方をしている。「自分で自分を動かすものは、動の始原であり、それは滅びることもありえないし、生じることもありえないもの」（『プラトン全集』

第五巻、『パイドロス』藤沢令夫訳、245D-E)、これが宇宙の魂、即ち「生成する事物すべてとこの宇宙万有との構築者」である。この「構築者は、すべてのものができるだけ、構築者自身によく似たものになることを望んだのでした。まさにこれこそ、生成界と宇宙との最も決定的な始め」(同上第十二巻、『ティマイオス』種山恭子訳、29D-E) であると言う。万象は宇宙の魂を分有していることをプラトーンは述べているのである。

万象はこの生命的な連続性の中で初めて生かされて在る。よろづの物は人間を含めてすべてこの連続性の或る位置に留められており、その持ち場を越えることはできない。言葉も同じく文脈というその連続性の中に縛られている。しかし有機体論のように相互滲透と親和的連続性を本質とせず、敵対と相互排除をこととする機械論的宇宙観に立てば、言葉も個々ばらばらに浮遊する根のないものとなる。言いたいことは必ず表記せねば相手に伝わらないと考える。相互に繋がり合って初めていのちの馥郁たる息吹を通わせている言葉とは違い、物質還元主義に基づけば、個々の言葉の意味はいかようにも使うことができ、個人によって恣意的に定義づけることができる。屁理屈を捏ねて自分に都合の良いようにその言葉の意味を誘導することができる。そこに自然に背く詐欺的言語の出現が用意されるのである。

インド哲学もギリシア哲学も自然に従った。反自然を貫いたのは一神教である。淫行に耽り神を忘れたソドムとゴモラはヤハウェ(Yahweh)の神により硫黄の火を降り注がれ滅び(「創世記」第十九章)、神に背く人間は出来損ないの土器(かわらけ)の如くヤハウェに叩き壊され、ヤハウェへの信心を失った人間はノアの洪水により殲滅された（同上第六章～第九章）。そこには生命も物質としか見ない無機的な物質主義がのぞいている。或いは亦、新バビロニアの王ネブカドネザル二世（Nebuchadnezzar 在位前六〇四～前五六二）が前五九七年と前五八六年の二度にわたってユダヤ人を連れ去ったバビロン捕囚（「列王記」下第二十五章参照）の原因も社会情勢の動きと捉えず、ユダ（Judah）の王ヨシヤ（Josiah 在位前六四〇～前六〇九）を除きイスラエル（Israel）でもユダでも王達が、ヤハウェを崇めず、忌むべき異邦人の神々を崇拝して悪行を行なったことによって惹き起こされた主の怒りにあるという、社会事象の発生をすべて自己原因に帰する自己中心的で観念的な物の考え方をした。法爾自然（ほうにじねん）に依ることなく、即ちあるがままに見るということをせず、人間の恣意に基づく観念的世界にその思考の主軸があった。この観念的思考は今日に及んでいる。

アリストテレースは自然界の原因には形相因、質量因、作用因、目的因の四つの原因があると考えた。アリストテレースの自然学は西欧では中世まで受け継がれてきたが、近代以降は科学は形相因と目的因を捨て去ってしまった。自然現象はただ単に機械的に生起しているにすぎないと考えるようになった。ギリシアでは有機体論が一般的な考え方であったので、アリストテレースも万物の有機的関聯性を前提としていた。それがルネサンス以降の科学では物の見方が有機体論から機械論に変化した。一神教は機械論と同じ敵対と相互排除の原理に立っている。先に触れたように一神教には恣意的な空想的観念が伴う。機械論にもその観念は含まれている。

一例を挙げれば、古代ギリシアの哲学者エピクーロス（Epikouros 前三四一～前二七一／〇、サモスの人）の原子論を十七世紀前半にフランスのピエール・ガッサンディ（Pierre Gassendi 一五九二〜一六五五）が掘り起こして復活させた。機械論に立ちながらもガッサンディは、エピクーロスの原子論をキリスト教と調和させようとして、自然界の調和は神によるものだとし、原子そのものも神が創造したものだと空想を逞しうした。機械論に立つ近代科学はなおもキリスト教に縛られ、あるがままに観察する純粋科学ではなかったのである。そうした思考に対する激しい反撥をしたのが、十九世紀後半の英国を彩るダンテ・G・ロセッティ、スウィンバーン、ペイター、ワイルドらに代表される唯美主義者達だったのである。

近代において科学は機械的宇宙観を持つに至ったと言っても、それは一神教が科学の世界にその本来の姿を一層際立たせただけのことである。近代科学において形相因や目的因が捨てられたのは、それらの原因が一神教の考え方に馴染まないからである。生物のそれぞれの遺伝子にはその生物がどのような形に成長してゆくかその計画が組み込まれている。それが形相因である。そして亦、その形相もその生物の生き方に即した目的に応じて規定されている。その意味で形相因と目的因とは相即不離の関係にある。先に見たように、有機体論では宇宙の魂である原動力を万象が分有していると考える。日本の神道では自然それ自体が神であり、人は自然が生み出した存在であるが故に、人は神の子孫と考えられてきた。即ち宇宙の魂を分有するのが人である。

しかし一神教においては、ヤハウェの神は自分の姿に似せて塵を以てアダムとエヴァを作った。形は似せても、神の分身とは「創世記」に語られてはいない。そして地球はその二人が生きてゆくために自由に利用すべきものとして二人に与えたものにすぎない。自然も人も神が別個に創った単なる物であり、自然と人とは生命的な繋がりを持たない存在物として捉えられている。その自然は人間がその一部としてあるのではなく、生命的な繋がりも何もない単なる利用すべき対象物でしかなかった。一神教においては自然は、ギリシア人や日本人のように生命体としての有機的自然ではなく、無機的自然として捉えられた。即ち自然は単なる物質にすぎないのである。この宇宙は神により造られ神により動かされている巨大な機械でしかない。それは神の有機的生命を分有する一即多、多即一なる存在ではなく、神の創造物として別個の対象物として存在した。機械論者のガッサンディがエピクーロスを掘り出しながらも、その思想をねぢ曲げて原子は神が造ったものだと唱えても、一神教の無機的自然観からすればごく自然な考え方なのである。物質還元主義と機械論を基軸とする近代科学は一神教の申し子であり、なおも不合理になづむ科学である。

機械論的物質主義は反撥と敵対をこととする。十字軍以来のキリスト教とイスラム教の対立、或いは已むこと知らぬイスラム教の宗派同士の抗争を見れば一目瞭然である。それとは対照的に、古代ギリシア人も日本人も縁、即ちこの自然界の関係性に意を用いた。一神教の人々がこの関係性を顧慮しなかったのは、沙漠地帯という過酷な生活環境と民族の流民性、加えて選民意識という条件が一神教を生み、神と人との緊密な関係を結んだその特異性に由来する。一神教においては人は神の啓示に与ることを最大の目的とする。それ故に神と個人とは理性を超越した激しい情念によって関係が結ばれる。それは古代ギリシアの祭礼や日本の祭のように、集団で神々の神霊に与り、全体的融和の形を取るのとは全く対蹠的位置に立っている。有機体論の本質たる全体的連続性を多神教は尊んだが、無機的自然観においてはこの連続性も関係性も顧慮の他にある。

こうした宗教形態の違いは、政治と宗教とのあり方にも関わってくる。多神教においては、集団的祭礼は国民の行事であると共に国家の行事である。政教一致を以て国体とする。古代ギリシアで各都市国家は神殿に守護神を祀り、或いはソークラテースがメレートスやアニュトス、リュコーンらの政敵により、国家が認める神々を信じず、他の新しい鬼神のたぐいを信じ、それを以て青年達を堕落させていると讒言を以て陥れられ、裁判で死刑が宣告されたのもそれ故のことである。ゲルマン人もやはり多神教でデーン人はウォーデン（Woden: Wednesday の語源）を、ノルウェーやアイスランドのヴァイキングはソール（Thor: Thursday の語源）、スウェーデン人はフレイ（Frey）を崇拝した。とりわけウォーデンは古スカンヂナヴィア人の心性に相性がよく、キリスト教改宗以前は諸王家の始祖であり、王家はその血統を名告った（レジス・ボワイエ『ヴァイキングの暮らしと文化』持田智子訳参照）。言うまでもなく、日本もＧＨＱに占領されるまでは皇統を中心として国体護持を維持してきた。

しかし一神教においては、先に述べたように、その本質が合理的思考を超越した神の啓示を求める個人と神との霊的交渉にあるが故に、信仰を異にする他民族とは相容れることのない不寛容性を示してきた。ヤハウェは万人を愛する神ではなく「ねたむ神」である。「あなたは、自分のために、偶像を造ってはならない。（中略）それらを拝んではならない。それに仕えてはならない。あなたの神、主であるわたしは、ねたむ神、わたしを憎む者には、父の咎を子に報い、三代、四代にまで及ぼし」（「出エジプト記」第二十章）、許しを与えない神である。「善人なをもて往生をとぐ、いはんや悪人をや」（『歎異抄』）という自然に即した教えとは、全く異質の教義に立っている。

三　政教分離

古代イルラエルはヤハウェ信仰による民族共同体意識は持っていたが、政治的統一組織はなかった。イエスが、「カイザルのものはカイザルに、神のものは神に返しなさい」（「マタイの福音書」第二十二章二十一節）と言って、宗教と政治とを截然と分けたのも、政治組織とは関わらぬ信仰共同体に宗教の在処（ありか）を認めるその流れにあったからである。これが本来の政教分離である。

とまれ、本来政教分離のはずのキリスト教は、概ね政教同体の趣を見せていたが、一応政教分離という形に辿り着くのに歴史的変遷を経た。中世ではキリスト教世界において王権と教皇権は明確な区分なくふたつの職分としてあった。王は神の代理人である教皇により戴冠式を行なうことで王権神授の形にあやかり、その地位を正当化する説得力を得た。しかし広大な領土と武力を持つ世俗的なローマ教会と世俗の王とは必然的に衝突を招いた。更に信仰に関わる旧教と新教との宗教戦争が起こるに至り、その争いを超越する世俗の政治を以て収束させる必要が生じた。フランス革命を通過することで、国家は教会への奉仕から離れ、個人としては宗教の縛りを解かれ信教の自由を認められることになった。しかし二十一世紀の今日、なおキリスト教社会の西洋において、キリスト教が厳然たる重みを持っていることに変わりはない。

さはれ神道は自然崇拝に基づく農耕儀礼であり習俗を純化したところに成り立つ儀礼文化と言った方がよく、一神教的な意味での宗教ではない。宗教の質も歴史も全く異なるにも拘わらず、GHQが神道のそうした本質も辨えず、それを一神教と同列のものと見なし、日本に政教分離を強制した上、西欧の世俗的な王に類する象徴天皇なるものを作り出してしまったのは、明らかに日本文化とその連続性を破壊したゲルマン的蛮行に他ならない。

日本國憲法は、その起草実務責任者チャールズ・ケーディス（Charles Louis Kades 一九〇六～一九九六）によると、昭和二十一年二月三日からの十日間で、東京の第一生命ビル内で、GHQの軍人ら二十数人の米国人により一気に書かれた（産経新聞平成二十八年八月二十日付、古森義久「『米国製憲法』の歴史とは」参照）。この強制的米国製憲法に盛り込まれた西洋民主主義には、その基本にフランス革命における人権宣言に示された人権思想が機能している。人権というのは単に人間が恣意的に考え出した観念にすぎない。自然を探究した結果見出だされた真理でも何でもない。有機的関聯性を持たない観念は、それを以ていかようにも他者を攻撃することができる。臆見を許す観念性は一神教のものである。自然に服従することを人の世の旨としてきた日本に一神教に根ざす西洋民主主義が、強制的に持ち込まれたことは災いであり、日本の国柄を腐敗させるものであった。

この腐敗の原因に関して更に敷衍するならば、三島由紀夫（大正十四年［一九二五］〜昭和四十五年［一九七〇］）は日本國憲法を批判したその「問題提起」において、象徴天皇に含まれる矛盾を突いて次のように言っている。「主權の存する日本國民の總意に基く」象徴天皇が「世襲のもの」であるという矛盾は、

第一條に於て、天皇といふ、超個人的・傳統的・歷史的存在の、時間的連續性（永遠）の保證者たる機能を、「國民主權」といふ、個人的・非傳統的・非歷史的・空間的概念を以て裁いたといふ無理から生じたものである。これは、「一君萬民」といふごとき古い傳承觀念を破壞して、むりやりに、西歐的民主主義理念と天皇制を接着させ、移入の、はるか後世の制度によつて、根生の、昔からの制度を正當化しようとした、方法的誤謬から生まれたものである。それは、キリスト教に基づいた西歐の自然法理念を以て、日本傳來の自然法を裁いたものであり、もつと端的に言へば、西歐の神を以て日本の神を裁き、まつろはせた條項であつた。

（『三島由紀夫全集』第三十四卷）

四　自然の相互補完性

自然に倣う多神教の日本に、反自然の個人的、非合理的思考の一神教的制度を強制したところに、日本の文化は致命的な欠陥を背負わされた。

自然の本質を見極めた仏教の宇宙観は相互依存性であり相互補完性である。そして日本の古い素朴な自然観も同様で、『古事記』の国生みの話の中で、伊邪那美命が、「成り成りて成り合はざる處一處あり」と言えば、伊邪那岐命は、「成り成りて成り餘れる處一處あり」、それを以てそこを「刺し塞ぎて、國土を生み成さむと以爲ふ」と言うが、これは単に交接そのものを無意味に語っているのではなく、自然の世界の相互浸透性、男女の関係の相互補完性の意識が反映していることを汲み取らねばならない。このことは『萬葉集』の相聞歌を読んでも、男女の心の相互浸透性が読み取れ、そこには馥郁たる男女の情愛の美しさが満ち溢れている。女も大らかに恋心を歌った。但馬皇女は穂積皇子との逢引を、

人言を繁み言痛み己が世に未だ渡らぬ朝川渡る　（巻二・一一六）

と歌っている。男女の仲は人の噂がうるさいので自分がまだ渡ったことのない川を朝早くに渡っ

て穂積皇子に密かに逢いに行ったという極めて大胆な振舞を見せるその熱情は、この歌の巧拙は別にして、川を渡るその姿が髣髴し読む者を圧倒する力がある。女が川を渡って男に逢いに行くことははしたない振舞と見なされていた時代において、この瑞々しい恋情と混じり気のないその一途な恋心は衝撃的でさえある。

次いで、高田女王（たかたのおほきみ）は今城大王（いまきのおほきみ）に次のような歌を贈った。

わが背子し遂げむと言はば人言（ひとごと）は繁くありとも出でて逢はましものを　（巻四・五三九）

人の噂がうるさくても、あなたが逢うというのであれば、家から外に出ていって逢うことでしょうにと言う。サッポー（Sappho 前七世紀末乃至前七世紀中頃から前六世紀中頃に活躍）が『恋の衝撃』に見せたような激情の表出はないが、大和撫子の穏やかな挙措に潜む心（しん）の強さを窺わせる。更には、

わが背子に復（また）は逢はじかと思へばか今朝の別れのすべなかりつる　（巻四・五四〇）

と詠む歌からは、せんかたない不安にさいなまれる激しくも抑制された恋情が切々と伝わってくる。もう二度と逢えないかもしれないかと思うと、今朝の別れがどうしようもなくやるせない思いがしたと心の内を明かしている。情交のほとぼり冷めやらぬ後朝の別れを歌いながらも、実に情感豊かな恋心の切なさを漂わせている。

阿倍郎女は中臣朝臣東人に寄せて、

わが背子が著せる衣の針目落ちず入りにけらしもわが情さへ　（巻四・五一四）

と歌った。わが背子が着ておいでになる着物は私が一針一針縫い、その縫い目すべてに私の心までもが縫い込まれているようですと言う。いかにも女の人らしいこころざしの美しさを見せている。相互に心が滲透し合っている一体性が窺われて快い。

大伴旅人は赴任先の太宰府で妻大伴郎女を失い、憂心悄々として奈良に帰京したが、妻と一緒に庭造りをした家の山水の庭を見て、

妹として二人作りしわが山齋は木高く繁くなりにけるかも　（巻三・四五二）

と妻を偲ぶ。それにもまして、妻の霊のまつわる梅の木はそれを見るにつけ、忍び難い感情の流露を誘う。

　吾妹子（わぎもこ）が植ゑし梅の樹見るごとにこころ咽（む）せつつ涙し流る

（巻三・四五三）

　旅人に対して報（こた）える歌はないにしても、この二首を見ただけでも、旅人と妻との心の繋がり方がわかる。自然に即した心と心とが相互に浸透し合った補完性を窺わせるに十分である。現代において聲高に叫ばれる男女平等論とは対蹠的位置に立つ男女の愛情形態である。男女は明らかに生理的に異なるにも拘わらず、恣意的に両者の生理的機能を同一視するこの平等論の考え方は自然に倣うものではなく、人為的に考え出された一種の空想的観念に基づいている。それを推し進めれば必然的に歪（ひず）みを生ずる。自然界の生命の中心は雌である。歪みがでればなおさらに女の立場を不自然な形で優先的に顧慮するほかなくなる。そこにおいて既に西洋民主主義由来の平等論は矛盾が生じており、厳密な意味における平等性は崩れているのである。この平等論は男女の相互補完性ではなく、相互独立した二項対立であり、それは反撥と排除を内包していることを忘れてはならない。

　現代日本の男女の諍いの多さ、それにとどまらず女性殺害事件の多発、離婚の増大は、この種の平等意識の高まりと必ずしも無縁とは言えまい。西洋民主主義が持つ無機的物質主義の産物としての平等論は、古代より自然に倣うことを旨としてきた日本人には本質的には馴染まない観念である。真の意味での平等は相互補完性の意識の高まりを俟たねば実現し得ない。日本には相互補完的な平等性の意識があったからこそ、『萬葉集』に見るすぐれた多くの閨秀歌人が輩出した。女の人も高い教養を積んでいたことの證しである。古代ギリシアにおいて女性も教育を受けたのは、サッポーを生み出したレスボス島（Lesbos）とスパルタだけである。スパルタで女性も教育を受けたのは立派な兵士を育て上げるには、教養のある母親が必要だったからである。それ以外のポリスで教養を身につけていたのはヘタイライと呼ばれる高級娼婦達だけであった。

一方、ヨーロッパ中世については、ジャック・ル・ゴフの言葉を借りれば、「中世社会の本質を構成していたのは、貴族にせよ農民にせよ、文字を書けない俗人であり『文盲』であった」（『中世西欧文明』桐村泰次訳、「序論」）。その一例を見てみる。ジャンヌ・ダルク（Jeanne d'Arc 一四一二頃～一四三一）は、イギリス側に付いていたブルゴーニュ公に捕らえられた。やはりイギリス側に付いていたパリ大学からの依頼で、ブルゴーニュ公はボーヴェ司教のコーション（Pierre Cauchon 一三七一頃～一四四二）にジャンヌ・ダルクを引き渡した。女傑は異端審問にかけられ、俗権、即ち政治権力者側に引き渡すと宣告された。恐れおののいたジャンヌ・ダルクは、教会の言うことは何でも従うと縋ると、予め用意されていたと覚しき異端放棄の誓いの文書を差し出され、それへの署名を求められた。ジャンヌ・ダルクは文盲である。署名をためらったが、「我らの主がお喜びになる」ことであるならばと、内容確認ができないままに終に署名をした。文盲でも署名だけはできた。ジャンヌ・ダルクは牢獄に戻されたが、以前のように男装することは禁じられ婦人服の着用が命じられていた。元来、女の男装、男の女装はキリスト教では禁忌であった。旧約聖書には次のように書かれている、「女は男の衣裳を身に着けてはならない。また男は女の着物を着てはならない。すべてこのようなことをする者を、あなたの神、主は忌みきらわれる」（「申命記」第二十二章第五節）と。先の命令にも拘わらず、牢獄に戻されて二、三日すると自らの意志で男装に戻っていた。異端裁判で、異端放棄の誓いをしたにも拘わらず異端に逆戻りすることは死罪となる。翌朝、一四三一年五月三十日、ジャンヌ・ダルクはコーション の命により、俗権に引き渡されルーアンの古市場広場（ヴュ・マルシェ広場 Place du Vieux-Marché）で焚刑に処された（ジャンヌ・ダルクについては諸説あるが、上記は *Britannica* に拠った）。ジャンヌ・ダルクは文盲につけ込まれ司教コーションにはめられたのである。

近代においても、文盲が災いとなった事例は見出だすことができる。ラフカディオ・ハーン（Lafcadio Hearn 一八五〇～一九〇四）の母親ローザ・カシマチ（Rosa Cassimati 一八二三～八二）は、ギリシアのキシラ島（Cythera）の旧家の出であったが、当時の一般人と同じく文盲であった。自分の名前さえ書けなかった。一八五二年、ローザは二歳のラフカディオを伴ってダブリンにある夫チャールズ・ブッシュ・ハーン（Charles Bush Hearn 一八一九～六六）の実家に行った。英国軍医の夫はその翌五三年十月八日にグレナダから帰還した。しかし翌日九日の夜、四年ほど顔を合わせていなかった間に、夫からは愛情が消え失せていることを直観的に感じ取り、ローザは一時精神錯乱状態に陥った。そして五四年四月二十一日には夫はクリミア戦争に出征し、一方ローザはハーンの弟ジェイムズ（Daniel James Hearn 一八五四～一九三五）を懐妊しラフカディオを残したまま初夏にキシラに帰った。夫は五六年にダブリンに帰還した。ローザはキシラに行ったままだった。夫チャールズはこの時、未亡人となってオーストラリアから帰国していた初恋の人アリシア・ゴスリン・クロフォード（Alicia Goslin Crawford 一八五七年チャールズと再婚、一八六一年インドで没）と再会した。その人と結婚するために、ローザとの結婚契約書にローザの署名がないことを理由に離婚訴訟を起こし、ローザの知らぬ間にチャールズは離婚を勝ち取りアリシアとの再婚を果たした。

文盲であることはこうした悲しい事態を引き起こす原因ともなった。一方、日本には高位の女性ならずとも、庶民の女性の歌も『萬葉集』に残されているのを見ると、その知的水準の高さが窺われる。その一例を挙げれば、大伴旅人が大宰帥（だざいのそち）はそのまま兼任しながら大納言になり、奈良の都に立つとき、見送る府吏達の中に児島（こしま）という遊行女婦（うかれめ）がおり、旅人に惜別の歌を贈った。

凡（おほ）ならばかもかも為（せ）むを恐（かしこ）みと振り痛（いた）き袖を忍（しの）びてあるかも　（巻六・九六五）

普通のお方であればああもこうもするのですが、恐れ多いからと袖を激しく振るのをじっとこらえていますと、一庶民にすぎない女が、雲上の存在のような旅人に然るべき距離を置きながら、心情を露わに表出する僭越さを抑制しつつも、心の奥底から湧き出づる赤裸々な惜別の純粋な情それ自体をかくも的確且つ簡潔に表現し得ているのは刮目に値する。八世紀の前半のことである。

兒島は更に一首を添えた。

倭道（やまとぢ）は雲隠（がく）りたり然（しか）れどもわが振る袖を無禮（なめ）しと思（も）ふな

（巻六・九六六）

大和への道は雲に隠れています。それ故に姿は見えずとも、どうか袖を振る私を無礼と思わないで下さいと、身分の違いに配慮しつつも人と人とを繋ぐ哀切なまでのいのちの郷愁というものを、時空を超えて今にその肉聲を以て訴えかけてくるこの力強い言霊に読む者は心深く打たれる。

この別れの日、馬を水城（みづき）に駐（とど）めて大宰府の方を眺めていた大伴旅人は、兒島の歌に籠められた心延（こころば）えに和（こた）えて、

倭道（やまとぢ）の吉備（きび）の兒島を過ぎて行かば筑紫（つくし）の兒島思ほえむかも

（巻六・九六七）

と詠んだ。大和への途上、吉備の国の兒島を通って行くときには、筑紫の兒島のことが思われることだろうと言う。更に加えて、

大夫(ますらを)と思へるわれや水茎(みづくき)の水城(みづき)の上に涙拭はむ

（巻六・九六八）

と歌っている。立派な男と思っている自分ではあるが、お前との別離にここの水城の上で涙を流すのだと言う。高位の旅人が一介の遊行女婦にしんみりと誠実に応えている。自然の本質、相互補完性の人間としての本質をそのままに生きていた旅人としては、ごく自然な対応であったであろう。日本にはこのような美風があった。齋藤茂吉もこの旅人の姿勢について、「当時の人々は遊行女婦というものを軽蔑せず、真面目(まじめ)にその作歌を受取り、万葉集はそれを大家と共に並べ載せているのは、まことに心にくいばかりの態度である」（『万葉秀歌』上巻）と述べている。

庶民の女性が読み書きどころか、作歌という高度な知的趣味に長じて大家と対等な贈答をなし得ていたという、自然に即した日本独特の風土というものは、いつの時代になっても日本人の立ち返るべき原点である。仏教でも縁起という有機的相互依存に自然界の本質を見ている。仏教公伝の年は百済の聖明王が朝廷に仏像と経典を献上した宣化三年（五三八年）が有力視されている

が、渡来系の子孫の間では六世紀初めには信奉されていたと言われる。しかし相互依存或いは相互補完性という自然観は、仏教伝来以前から日本にあったものと推測され、自然に倣うこの相対的思考は日本人が本来的に持っていた思考形態であろう。

ついでながら言っておけば、西欧において自然界の相互依存性の考え方に極めて近い自然観を説いたのは、イギリスのウォルター・ペイター（Walter Pater 一八三九〜九四）である。この批評家はこう言っている、「現代にあっては相対性の哲学的概念は観察による諸科学の影響によって発展してきている。それらの科学により様々な形の生命は言い表し難いほどに精妙な変化により相互に溶け込んでいることが明らかになっている」（"Coleridge," *Appreciations*）と。自然界における相互滲透性を言挙げしたのであるが、ヘブライ的一神教やゲルマン的象徴思考がもたらす絶対的空想的観念思考はなおも根強く西洋の主流をなす思考形態の基層にある。

五　男女を論ずるなかれ

道元は『正法眼藏』の「禮拜得髓」において、次のようなことを説いている。比丘尼（尼のこと）でも仏道修行し得道したならば、官家から尼寺の住持に補する命令が下りる。そうなれば寺に入り、住持が法堂で上参した衆僧に説法をする。得法をした限り、一箇の真箇なる古仏であるから、四果（仏道修行者の四つの段階、預流果、一来果、不還果、無学果）や辟支仏（縁覚、師なくして、ただ縁を観じて悟った者）、或いは亦三賢十聖（三賢と十聖とは、それぞれ菩薩修行の階位の或る段階まで至った者を言う）がやってきて礼拝し法を問うたらその礼拝を受けよと言い、「男児なにをもてか貴ならん」と断じた。男であれ女であれ、得道は得道である。得法を敬重すべきで、「男女を論ずるなかれ」、これが仏道の法則である。正法眼藏を伝持したその「位をうやまふなり。比丘尼もまたその人をうやまふことは、むかしよりなり、ひとへに得法をうやまふなり」と道元は言っている。これが真の男女平等というものであり、今日のように、欧米流儀に倣い、会社の管理職、或いは議員の数を男女半々にせよというのは、逆差別を生む愚の骨頂でしかない。日本では有能な女性はそれなりに認められてきた。先述したように、『萬葉集』でも閨秀歌人の歌が数多く取り上げられている。このような国は世界中探しても、日本だけである。良いものは良いと認める客観的自然主義の気風が伝統としてあったのである。

　明治時代初の女医になった荻野吟子（嘉永四年［一八五一］～大正二年［一九一三］）は出来の良いものは出来が良いと率直に認める、囚われぬ目を持つ多くの男達の協力を得て初志を貫徹した。明治八年に二十四歳で東京女子師範學校（現お茶の水女子大学）に第一期生として入学した荻野は、首席で卒業後、母校の教授の紹介で陸軍軍医監石黒忠悳の力添えを得て秋葉原の私立医学校好壽院に入学した。三年後に卒業して東京府に医術開業試験願を提出しようとしたが、女子は前例がないという理由で受理を拒否された。実業家の高島嘉右衛門（天保三年［一八三二］～大正三年［一九一四］）はそのことを気の毒に思い、荻野に皇典講究所（現國學院大學）の創立者で国学者の井上頼圀を介して内務省衛生局長長与専齋（天保九年〔一八三八〕～明治三十五年〔一九〇二〕）を紹介した。その際、高島は井上頼圀に過去の女医を調べてもらい、天長十年〔八三三〕に完成した『令義解』には女医に関する記述があることを突き止め、その資料を添えて荻野の紹介状を長与局長宛に持って行かせたという。加えて、石黒忠悳も長与局長に理解を求めた結果、女子にも医術開業試験の受験に道が開かれた。

今ひとつ例を挙げておく。鄭成功（幼名福松、寛永元年〔一六二四〕～寛文二年〔一六六二〕）は、福建省泉州府の海商鄭芝龍と田川まつ（慶長六年〔一六〇一〕～正保三年〔一六四六〕）との子供である。台南にある延平郡王祠にある鄭成功文物館の資料説明によると、田川まつは平戸藩の御殿医田川七左衛門の娘である。福松はそのまま平戸で育ち、七歳になってから母親とともに父親の福建省の家に移った。まつが結婚後すぐに福建省に行かなかったのは、医師である父の片腕として薬剤師を務めていたまつが非常に有能だったので、父がなかなか手放してくれなかったかららしい。有能な婦人はこのような形でも能力を発揮して社会貢献した。

医学の世界に女子を入れなかったのは、別に差別でも何でもない。生理的機能に応じて男女はそれぞれの機能に適した仕事をこなし、それが社会組織においては制度化されたのにすぎない。それは差別ではなく、適材適所の識別である。通常、男に適した仕事でも、女子でもなし得る限り、荻野吟子の場合のように、優れた者に対して客観的な価値判断ができる男達は、そのような有能な女子を取り立てることに尽力した。日本には萬葉の時代よりそうした客観的評価の伝統があったと言い得る。物の見方、感性、洞察力、綜合的判断力に性差はあるが、それはそれなりに生かせる活動領域があることを日本人は知っていた。熱意のある有為な人材は性差を超えてその才能を無にすることなく伸ばしてやりたいという気風があった。

　日本では伝統的に男女は概ねこの相互補完性において捉えられてきた。それを何かにつけ女子は男子より下位におかれ被害者だという差別意識を聲高に叫ぶのは、ＧＨＱがもたらした戦後民主主義の悪弊でしかない。エヴァはアダムのあばら骨から作られたと考えるキリスト教信者が大勢を占める欧米では、女性は下位に置かれ、それ故に女性解放運動も起きた。

　しかし、ヤハウェがエヴァを新たに塵を集めて造ることをせず、アダムのあばら骨から造ったと説かれているのは、男女は本来一体のものであるという観念がヘブライ思潮に流れていたからであろう。「私の骨からの骨、私の肉からの肉。これを女と名付けよう」というアダムの言葉はそのことの證しとなっている。しかし、男から女を、しかもアダムのための「ふさわしい助け手」としていることについては、生物の世界では雌が主体であることからすると、このような認識は自然の理に反する恣意的な人為的観念に基づくものであると知れる。

　それに対して有機体論に立つ古代ギリシア人はそのようには考えなかった。プラトーンの『饗宴』に語られている神話的エロース観では、本来人間は、男、女、男女（おとこおんな）（アンドロギュノス androgynos, ἀνδρόγυνος）の三種類だった。アンドロギュノスは男女両方の性から出来ていた。これらの人間は全体が球形をしており、背と脇腹とがその周囲にあり、腕も脚もそれぞれ四本づつ具え、丸い頸の上には全く同じ形の顔をふたつ持っていた。これらの人間が神々に逆らうなど凶暴であるが故に、ゼウスによってすべて半分に切り裂かれ割符（シュンボロン）となった。

かくしてそれぞれ割符となった人間はもう一方の片割れを求めるようになった。元来男だった球体人間の場合は男の片割れを、女だった者は女の片割れを、アンドロギュノスだった者は異性を追い求めた。この片割れ追求をエロースと言う。この神話的エロース観に窺われることは、男が主体で女は補助者というヘブライ的観念とは一線を劃し、片割れ人間の一対の割符が契合して初めて完全に一体化するという相互補完性の認識が、古代ギリシア人にはあったということである。これは先に引いた伊邪那美命と伊邪那岐命との間に交わされた国生みの言葉が暗示する男女の相互補完性の認識と揆を一にしていることに留意すべきである。自然と対話をしてきた古代ギリシア人と日本人には、男女間を敵対的拮抗で捉える恣意的な平等観念が生じる土壌はなかった。

かてて加えて、ギリシア藝術がなぜ神の美に近づく営為だったのかも、考えてみるとよい。古代ギリシア人は競技を好んだ。それをアゴーン（ἀγών）と言う。英語で言えばコンテストである。古代ギリシア人は競技を通して自己集中、即ち自分自身に徹することに努めた。かつての大横綱双葉山が木鶏たらんとしたことを思い起こしてもわかるように、人は迷いを捨て自己を忘れ無心になった時、初めて全力を出し得る。それは自然と一致契合することであり、それが神の美への接近の謂である。自己脱却が自己集中であり、そこからギリシア藝術が生まれた。それ故に例えば人物像の表情は何人にも似ていない抽象表現となり、いかなる象徴でもない。

オスカー・ワイルド（Oscar Wilde 一八五四〜一九〇〇）は「社会主義の下における人間の魂」（"The Soul of Man under Socialism"）において、「自分自身になれ」、それがニューヘレニズム（新ギリシア精神）であると言った。ワイルドはそれが「イエスの奥義」であると言ったが、それ以前にギリシア学者として、その精神がギリシア文化の本質であることを見抜いた上で、そのことをイエスにも仮託したものにすぎないであろう。自分自身になりきることを通して自己脱却を図らんとした古代ギリシア人にとって、己自身になりきるところに神の美が見えてきたのである。単なる片割れ男は補完すべきもう一方の片割れを俟って初めて全体になることを知っていた古代ギリシア人が、すぐれた女流の才能も正当に評価する客観的な批評精神を具えていたことは、プラトーンが「十番目の詩女神（ムーサ）」という詩において、サッポーを九柱の詩女神に加えるべき十番目の詩女神であると称えたことの一事を見ても諒解される。男女の有様についても有機的な連続性の中で捉えられていることは、神話やホメーロスの叙事詩に目を向ければわかることである。ギリシア人の自然観は、その有機体論から相互補完性にあることを見失ってはならない。

思考形態や歴史的条件、社会環境が異なる欧米の運動をそのまま日本で受け売りするのは、己自身と国の歴史に対する無知に他ならず、余りに軽率或いは偽善的であり人間関係に争いと偏見をもたらすものでしかない。「男児なにをもてか貴ならん」という道元の言葉は、裏を返せば、「女子なにをもてか貴ならん」にもなり得る。道元は先の言葉に続けて、「虚空（こくう）は虚空なり、四大（しだい）は四大なり、五蘊（ごうん）は五蘊なり。女流もまたかくのごとし」（『正法眼蔵』「礼拝得髄」）と言い、得道すれば男も女もないことを教えた。

道元の男女を論ずるなかれという人間観は相互依存を本質とする自然に倣うことであり、他者への配慮と自助努力を建前とする日本の伝統的倫理観と結びついている。乃木希典（嘉永二年［一八四九］～大正元年［一九一二］）の講話書『日本精神作興 乃木修養訓』（昭和十四年刊）の中に「吉田松陰論」がある。学者志望だった乃木希典は満十四歳の時、そのことで父希次（文化二年［一八〇五］～明治十年［一八七七］）と対立して家を飛び出し、乃木家の親戚である玉木文之進（文化七年［一八一〇］～明治九年［一八七六］）の許に行った。松下村塾を開いた玉木文之進は吉田松陰（文政十三年［一八三〇］～安政六年［一八五九］）の叔父である。玉木に弟子入りした乃木は玉木夫妻から常日頃松陰の話を聞き、それのみか、

> 先生の著書其他を謄寫せしめらるゝに及んで益々先生の尊崇すべきことを心頭に銘ずる様になつた。夫れより常に心懸けて、先生の著書、講録詩歌等出版に成つたものも成らない物も、讀みもし、寫しもし、東京に出てからも吉田家に殘つて居る先生の遺書等は出來るだけ拜讀して、今日に及んだ譯である。

と回顧しているほどに、その人生態度を模範としその薫化に深く浴したのである。乃木は松陰の人生態度の一端を次のように述べている。

> 先生は非常の勤勉家であつたさうで、玉木翁は常に寅次郎〔筆者註・松陰のこと〕の半分勉強すれば大丈夫ぢやと云うて居た。〔中略〕決して居睡りするとか、欠伸する等のことの無かつた事は、屢々聞かされた處である。又先生は、下僕や下女を使ひ、何か用を命ずるに、縱令自分の家の者なりとも自分の手に出來得る事を猥りに吩附くる事などは無かつたさうで、自分の衣服調度等は、幼少の頃より、人手を借りるなどの事を決してせず、人より催促されて、取片附けし例もなかつたと、能く玉木夫人の話さるゝ事であつた。又先生は、老人や、婦女、小児等に對しても、至極溫和に、親切に、決して無愛想をしたり、煩さがる様のことなく、充分氣を附けて待遇されて居た事を、能く模範に擧げて、玉木翁及び其夫人より予を訓戒された事を、今にも目に見るが如く記憶して居る。

乃木希典が玉木文之進夫妻から間接的に知った吉田松陰の姿は、礼節を辨えた日本人の範型と言ってよい。自分で出来ることは自分でする自助努力や実践躬行、老人、婦女、子供など弱い立場の人に対するきめ細かな配慮は、真の意味での民主主義の基本と言ってよい。ここには自己を押し立てる人為的な恣意的観念にすぎない人権の如き意識など微塵も無い。あるのは己を忘れ己を捨てて相手の立場を思い遣る惻隠の情である。世の中を縁、即ち関係性において捉える目である。相互依存性の仏教の教え、或いは日本古来の相互補完性の自然観が生きて働いている。それは相互補完関係を差別とか男尊女卑などと言いくるめる戦後民主主義の欺瞞的な人権観念のはびこる社会とは截然と境域を劃するものである。

今時の男女平等論はこの日本の歴史的美風に背くものであり、ありのままに見るという合理的思考を捨て、非合理思考に走っている。こうした男女平等論は、十二世紀末から十三世紀初頭にフランスで作られた『オーカッサンとニコレット』（*Aucassin et Niolette*）に描かれたさかしまの世界を思い起こさせるところがある。この作品は宮廷風騎士道物語のもぢりであり、その作中に架空の国トルロール城では男たる王が産褥につき、妃は戦に出陣しているというたわけた笑い話が出ている。

人は心を受け身にした時、初めて自然の様子をありのままに見ることができる。合理的思考を超え情念で神と個人的に繋がろうとする者には、自然はその姿を見せない。日本人は静謐な心を重んじてそこに自然を映してきた。ギリシア人は動と静との絶妙な一致調和を求めた。自然とは乖離することなく一体化して生きていた。ワイルドはいみじくもかく言った、ギリシア人にとって「海は泳ぐ人のためにあり、砂は走る人の足のた

プラクシテレース『ヘルメースと幼子ディオニューソス』、オリュンピア考古学博物館（筆者撮影）

めにあった」（*De Profundis*）と。ギリシア人はこの能動性とともに、自然に服従せよと言ったエピクーロスに見られるように、心を鏡となし自然をありのままに映す受動性も併せ持っていた。それは例えば、相反する力が調和的拮抗を以てその比例美を現出した神殿、ミュローン（Myrōn 前四六〇頃～前四三〇頃活躍、アッティカ地方のエレウテライの人）の、動と静の絶妙な一瞬を捉えた『円盤投げ』（*Diskobolos*）にその典型を見ることができる。或いはプラクシテレース（Praxitelēs 前三七〇～前三三〇頃に活躍）の『ヘルメースと幼子ディオニューソス』（前三四〇年頃）は優美なＳ字型の動きの中に永遠の安らぎ或いはアタラクシアを見せている。

六　言霊

日本の歴史と伝統を悪として全面的に否定してアメリカ占領軍が日本人の洗脳工作として行なったWar Guilt Information Program（日本人に戦争犯罪意識を刷込む情報宣伝計画）が遺憾ながら功を奏して、教育もすっかり荒廃した。日本で世代交代が進むにつれて機械論的思考に傾斜し、自己の利益に関わることを除いては、社会生活における関係性に意を用いることが薄らいできた。教員もその例に漏れない。外国語に携わる教員であれば、たとい専門外でも国内外の重要な古典的文学書は一通り読む修練を経てそれなりの教養と、それによって培われる想像力を具えていなければなるまい。言葉を単なる物扱いした上に、言葉の意味についても日常的な言葉遣いの範囲での皮相な意味しか眼中にないようでは、大学教育の責任を果たしているとは言えないであろう。日本語を母国語としながら自分は英語の方が文章が楽に書けると言ってのける御仁もいるが、それは言葉の本質を知らないのである。外国語による表現は母国語での表現力を超えることはできない。それができるのは、明治四年に米国に官費留学生として送られた満十一歳の大山捨松（安政七年［一八六〇］～大正八年［一九一九］）や満六歳の津田梅子（元治元年［一八六四］～昭和四年［一九二九］）が、十一年後の明治十五年［一八八二］に帰国した時には、母国語と外国語とが逆転して、日本語が不自由になった事例、或いは又、英語でしか思考ができなくなった日系英国作家カズオ・イシグロのような人に限られる。加えて、外国語で抽象的思考はできないのである。

とまれ先に触れた惻隠の情という美風も、機械論的思考と言葉の貧困とともに今やそれも廃れてきたので、相手の立場に配慮することなく攻撃するような日本人が多くなったのは確かな事実である。残忍な犯罪の多発がそれを證明している。言葉の研究をしているはずの人間が、実は言葉というものの本質を知らないまま、教壇に立っているというのは、情操教育の観点から深刻な事態だと言わざるを得ない。

所謂実用文とは言葉を物として扱うことである。文部科学省の役人も言葉をそのように考える世代に属しており、必然的に出るべくして出てきた新指導要領ではあろう。日本の大学の外国語教育と、このことは揆を一にしている。

言葉には実体はないが、言霊をもつ生き物である。もう一度『萬葉集』から例を挙げれば、大津（おほつの）

皇子（天智天皇二年［六六三］～朱鳥元年［六八六］）は天武天皇崩御の後、謀反が露見して死を賜った。この叛逆は大津皇子を陥れるための陰謀だったとも言われている。不軌を企てるに先立って伊勢に赴き、姉である齋宮大伯皇女に会った。大和に帰る弟を見送った時、大伯皇女は、

わが背子を大和へ遣るとさ夜更けて暁露にわが立ち濡れし　（巻二・一〇五）

と詠んだ。これを最後に今生の別れとなるかもしれぬはらからの弟への姉の深い惜別の情が読む者の心にひしひしと伝わってくる。そして譯語田舎で死を賜ったその直前に、大津皇子が、

ももづたふ磐余の池に鳴く鴨を今日のみ見てや雲隠りなむ　（巻三・四一六）

と詠んだ歌には、限りなく深くも澄んだ悲愁が滲み出ている。朱鳥元年十月三日、今から千三百三十年余り前のことである。齢二十四の時であった。『日本書紀』に伝えられているように、妃の山邊皇女は髪を振り乱して裸足で大津皇子に駆け寄りそのかたえで殉じた。見る者皆涙を流したと言う。遺体は峰がふたつある二上山の雄岳の山頂付近に葬られた。大伯皇女は

神風（かむかぜ）の伊勢の國にもあらましをなにしか來けむ君もあらなくに　（巻二・一六三）

と、伊勢から弟のいない空しい都に戻ってきた悲しさと寂しさを歌い、更に

うつそみの人にあるわれや明日よりは二上山を弟世（いろせ）とわが見む　（巻二・一六五）

と詠んだ。

この一連の秀歌は読む者の心を激しく搖さぶる。魂が発する肉聲は言霊に生かされてその張りと輝きを失うことなく時空を超えて飛来する。直筆もそれ自体に魂が宿る。道元は、たとい反故であってもそれを落とし紙にすることを厳に戒めた（『正法眼藏』「洗淨」参照）。言葉は実用主義者にとっては生命のない単なる道具でしかないが、人が生きてゆく上では人間関係を繋ぐ生命的媒体であり、人は言葉を信じそれに縋ることによって生きている。しかし単に人為的に生み出された実用的言語はこの詐欺の時代とは実に相性がよい。

七　文藝の有機的論理性

論理国語を設けようとするその意図は、有機体論に立つ文藝の論理性を拒み、機械論に立脚する論理性に取って代えようということである。その種の論理性を高めようとして、大学でもディベートなる授業を進め、反対の立場に立っても辻褄の合った論理性を身につけようという欧米由来の教育法ではあるが、辻褄さえ合えば良いという教育は、誠実な人間を育成しようとする教育とは対蹠的な位置にある。それはうまく言い抜けをし相手を言いくるめる欺瞞的な詭辯を助長する便法でもある。そもそも日本人の思考形態は、肯定的な意味において、相対的思考をし相手の立場を顧慮して行動する方向に持って行く客観的思考に特徴がある。日本語自体も自己と相手との関係を測ってものを言う言語である。複雑な敬語が発達しているのもそこに由来している。日本語においては、私はあなたであり、あなたは私であるという、双方向性の思考が可能になる。自称が二人称に転用されやすいこともその故であろう。例えば、「手前」や「我」は自称であるが、ともに「おまえ」という意味でも使われるようになった。対称に変化したのである。亦『古事記』上巻には、次のような表現が見られる。「愛しき我が那邇妹の命、吾と汝と作れる國、未だ作り竟へず」と言った伊邪那岐命に対して、伊邪那美命が「……然れども愛しき我が那勢の命、入り來坐せる事恐し……」と応じる。この引用の中の「那邇妹」と「那勢」は、それぞれ「汝妹」であり「汝兄」である。本来「汝」は古代においては対称ではなく自称であり、「汝妹」

は「我が妹(いも)」、「汝兄」は「我が兄(せ)」の意味であった。それが『古事記』が編纂された時代においては、既に「汝(な)」は対称に転じ、「我が那邇妹(あなにも)」、「我が那勢(あなせ)」と表記されるに至っているのである。自称が対称に転用されるようなことは、印欧語族においてはないことである。

　双方向性の可能な日本語は、その特性として、一神教を生み出したヘブライズムやゲルマン的象徴思考などのように自己を中心に据えて推し進め一方的な思考展開するような絶対的な思考形態をもたない。この後者においては、私はあなたではなく、あなたは私ではない。私は話をする方であり、あなたは単にそれを聞く方でしかない。自己と対象とがどのような間柄にあるかは、日本語と異なり、思考の埒外にある。日本語や日本的思考が潜在的に持っている和と調和の相互滲透性を、国語教育或いは言語教育一般を通して一層高めて行くことが大切なのであって、敵対的対立を基(もとい)とし、相手を言い負かして自我を押し通すことを目的とした欧米のディベート教育は、日本においては退行教育でしかない。日本語のすぐれた特質を生かしのばしてゆく教育は、今では殆ど衰頽してしまったが、古来実践されてきたように、詩歌教育なのである。詩歌を作るとき、人は自然を見心を見つめる。自然の見え方は人により異なり、自然を見つめることは自己を見つめることである。先に挙げた吉田松陰も乃木希典も、すぐれた人物の例に漏れず、詩歌を能くした。

　言うも更なり、人間性を豊かに育んできたものは、文藝における有機的論理性であった。ギリシア人がことのほか重要視した有機的構築性はすべての藝術の基本であり、過去の優れた藝術家は仕事に取りかかる前に、詩人であれ美術家であれ、作品の始まりから結末に至るその構築的な形を直観的に捉えている。直観とは即ち飛躍である。しかしその飛躍は縁起によって出来する飛躍であって、空想や気まぐれとは無縁である。短詩系文学、殊に俳句の世界では、この飛躍が大きな藝術的効果を担っていることは周知の通りである。

古来日本人は、芭蕉の言葉を借りれば、四時（しいじ）を友として暮らしてきた。六世紀初め菩提達磨（生年不明〜五三〇頃）が南北朝時代の中国に伝へた禅は、やがて日本に入ってからは日本人の心との近親性からその精神に深く根付き、藝術であれ武道であれ、日本の文化の発展の礎となってきた。相客に心せよという茶道の本（もと）をなす気遣い、いのちあるものへの思いやり、御蔭様、お世話になりましたという、他者との関係性の認識に立った配慮や日常生活の言葉は、日本人がいかに自然界を有機的関係性において認識しているかの證しである。縁起説に立つ仏教は自然界を相互依存性を以て捉えている。日本人は古来この認識に立ち他者があって初めて己があると認識してきた。相互依存性の認識の下に、先のような言葉が生まれてきた。

繰返すが、古代ギリシアにおいては宇宙を機械論ではなく、ひとつの生命体として有機的関係性において認識していた。その意識がギリシア藝術、殊に神殿建築における構築性の美として典型的に現れ出ている。その構築性はゲルマン人の敵対的拮抗ではなく、調和的拮抗として有機体論的効果が発揮されている。この構築性にも見られるギリシア人の有機体論的自然観は、あわれみの心、或いは慈悲として、ギリシア叙事詩や抒情詩、或いは亦神話に深い陰翳を与えている。

ギリシア人にとってすべては法爾自然、万象はあるがままに相互に関聯し合って在り、この自然界に絶対的悪というものの存在を認めるような恣意的観念はなかった。ホメーロスの『イーリアス』（*Ilias*）においても、トロイエー戦争をギリシア方とトロイエー方双方を公平に描き、神々も両軍に分かれて戦っている。ギリシア人は自然の本質を正しく捉えていた。相互依存に自然の本質があることを認識していたところに、日本人の古来の惻隠の情、御蔭様やお互い様の精神と通い合うギリシア人の慈悲の心がある。両者のこの感性の類似性は、『昆虫とギリシア詩』（*Insects and Greek Poetry*）にも示されている通り、ラフカディオ・ハーンも認めるところである。

日本人の自然における相互依存性乃至相互補完性の認識、古代ギリシア人に構築性の観念をもたらした有機体論的自然観、即ち自然を関係性において見る自然観においては、自然観察を通して閃きとしてもたらされる直観が、藝術的真理として開花する。直観により、遠い関係の物と物とが結びつけられ、真理の新たな発見となる。これは藝術においても科学においても全く同じ理智の働きである。

翻って、ゲルマン的象徴思考においては因果を探る自然観察はなされず、空想に終始した。イギリスの名立たる哲学者フランシス・ベーコン（Francis Bacon 一五六一～一六二六）は、「想像力は物質の法則に縛られることなく、それ自身の都合で、自然が切り離したものを結び合わせ、自然が結びつけたものを切り離したりして、事物の非合法的な縁組と離婚を行なうことができる」（*The Advancement of Learning*）と言った。片や十八世紀文学の大御所的存在だったサミュエル・ジョンソン（Samuel Johnson 一七〇九〜八四）は、機智とは「より厳密且つ哲学的には一種の不調和の調和と見なし得るものであり、似かよりのない形象同士を結合したり、或いは一見似たところのない事物に神秘的な類似を発見すること」であり、そこにおいて「最も異質な観念同士が暴力で繋ぎ合わされている」（*Lives of the English Poets*）と言う。

日本の伝統的藝術や古代ギリシアの藝術において、自然の道理を無視して恣意的な結合や切断を行なうことはなかった。ベーコンもジョンソンも自然の摂理を全く度外視した藝術論を語っている。これがゲルマン的象徴思考の特徴である。この種の思考形態はドイツのメルヘンやイギリスのファンタジーといった自然観察に基づかないたわいない、時に荒唐無稽な空想物語を生み出すことになる。

八　我慢を除くべし

禅においては、「山河大地（せんがだいち）・日月星辰これ心（しん）なり」（道元『正法眼藏』「身心學道」）と言う。自然観察するということは自己を凝視することである。換言すれば、それができていない者は自己が見えていないことを意味する。我慢という言葉がある。これは本来、我（が）を拠り所として心が高慢で他を侮ることを意味する。道元は第十四祖龍樹尊者の、「汝佛性を見んと欲せば、先づ須（すべから）く我慢を除くべし」（同上「佛性」）という言葉を伝えている。自己が見えない者は自己尊大になり他を侮る。ギリシア学者のワイルドはイギリス人が己の姿が認識できていない醜悪さをからかうとともに、それ故に押しつけがましいことをして恬として恥ぢないイギリス人を舌鋒鋭く批判した。

自然に服従せよと言ったエピクーロスは、パルメニデース（Parmenidēs 生没年不詳、前四五〇年に六十五歳ほどだったと言われる。南イタリア、エレアの人）が絶対的一者論で示す、無の中空に浮かぶ不生不滅の水晶玉のような純粋存在の如く、己を法爾自然の受容体となした。自己を受容体にするとは自己を忘れることである。自己を忘れることによって自己を知るのである。禅においても、「自己をならふといふは、自己をわするるなり。自己をわするるといふは、萬法〔筆者註・一切の存在物の意〕に證せらるる〔筆者註・教えられること〕なり」（『正法眼藏』「現成公案」）と言う。この受動性において、人は初めて直観を得るのである。西欧絵画が説明的表現となり、日本の伝統的絵画が直観的表現であるのも、これ故のことである。能動的に自然に立ち向かってゆく我慢の姿勢は、自然を知り得ることなく、ただ迷いに堕するだけである。国語教育において文学を軽視することはこの理智的直観に基づく論理的構築性の価値を等閑に附すことに他ならない。

古典的名作と呼ばれてきた文学作品は、自然の生命的一体性と聯動する一種の有機的構築物であり、自づとその時代精神をも如実に反映する文化の精華である。作者の肉聲とその息遣いまでもが伝わってくる文化遺産である。今必要なものは、自由だとか権利だとか、自然の実相を無視した恣意的な人為的観念ではない。「われらもかの盡十方界の中にあらゆる調度なり」（同上「恁麼」）と言う。この宇宙において、己は生まれながらにして位置を決められた調度品のようなもので、己の物のように見えながら己の物ではないが故に、自由ではない。他を妨げない時、人は自由である。これが自然に即することである。自然に倣うは美である。日本の神社仏閣が整然として美しいのも、自然に倣いそれ自体の秩序に近づかんとしているからである。それはギリシア藝術が神の美への限りない接近だったのと同じである。かくすることによって初めて、先の例のように、魂の肉聲は時空を超越する。国語教育で名作に、或いは外国語教育で名作の原文に接する機会を与えることは、教育の喜ばしい義務である。されど今は早、自然を忘却し、その本質が何かも知らぬがままに、自分自身たり得ようとせず、よその物をほしがる心の卑しさ故に、言語教育も情操教育の一端を担っていることは忘れられたのである。

II　肉聲、その言葉と形

「あらゆる作家と作品に、肉慾以外のもので結びつくことを肯んじない」（「オスカア・ワイルド」）と、オスカー・ワイルド（Oscar Wilde 一八五四～一九〇〇）にその窮極的な対象を見出だしたのは、三島由紀夫である。恰も古代ギリシアにおいて二人の友人が友誼の印にふたつに割った硬貨や骰子などを双方が持ち合ったシュンボロン即ち割符の如く、三島は世紀末の寵児ワイルドに藝術家として一致契合する得難い相性を見出だしたのであった。

三島が自分の目で選び自分の所有物としたのは、他ならぬワイルドの『サロメ』（*Salome*）であった。「私達は肉聲に帰らねばならない」（"The Critic as Artist"）というワイルドの主張は、まさにこの作品において藝術として形象化された。肉聲とは言葉本来の意味に立ち返り、多義的な曖昧さに曇らされず心象喚起力に長け、言霊（ことだま）と言うべき律動的な生命的音楽性を宿した言葉を言う。十九世紀の西欧は即物的表現が衰え、自由、平等、博愛等々、様々な観念ばかりが先走り、言葉の意味が曖昧になりその生命力が衰頽した時代である。言葉は明確な輪廓をもった形を描き出す生命力を失った。

形は同時にその作者の心を反映する。『サロメ』の中で、姿を見せぬままに、牢獄の暗闇から朗々と響き渡るヨカナーンの聲は、単純な内容を言葉を替えながら繰返し、一つの様式と化している。「様式の繰返しは人に安らぎを与える」（同上）と言うワイルドは、様式の持つ効果を熟知した上で、その技法を駆使している。様式化即ち形を与えられた言葉には、律動する赫奕たる生命力の輝きがある。肉聲の美しさはこの作品にとどまらない。同時代の批評家A・シモンズ（Arthur Symons 一八六五～一九四五）は、「『獄中記』は聲に出して読むべきである。その流麗さは肉聲を顧慮したものであり、黙読するとこれらの澄んだ言葉に殆どあるようには見えない美しさが、聲に出すと顕れてくる」（『ワイルドとペイター』伊藤勳訳、「オスカー・ワイルドの研究」）と評した。因みにワイルドはアルフレッド・ダグラス（Alfred Douglous 一八七〇～一九四五）との同性愛の廉で、重労働を伴う二年の刑を宣告され、レディング刑務所に投獄された。『獄中記』とは出獄直前、当局の特別の計らいを得て、ダグラス宛に書き綴った書翰である。

精神形態としての様式の確立によって成し遂げられたワイルドの肉聲としての流麗な言語表現は、三島の美意識を虜にするものであった。そして終には昭和三十五年、文学座により三島の演出で『サロメ』の上演がかなうことになった。刮目すべきは、三島が日夏耿之介訳の『サロメ』を台本に選んだことである。その理由は、「この字面のむやみとむづかしい飜譯が、耳から入つて來ると、實になめらかな、わかりやすいセリフ」（『三島由紀夫全集』第二十九巻、「わが夢のサロメ」）になったからである。音読すると「力があり、リズムがあつて、直に心に觸れて來る名譯」（同上、「『サロメ』の演出について」）だと言う。耿之介にはワイルドの文体の魂を日本語に移し替えるだけの技倆が具わっていた。「かたちに因つて、こころを忍ばん」（『黒衣聖母』の序）とする藝術観をもつ耿之介は、「詩技の事は稟性神賜」と心得、「民主的時代の衆民は、心より藝苑に至るの道を知らぬ詛はれた思想上の賤民」（『轉身の頌』序）であると断じた。こうした言葉には、「藝術を最高の現実」（*De Profundis*）として扱い、「私達に関わらないものだけが美しい」（"The Decay of Lying"）と言ったワイルドの反響さえも感じられる。殆どワイルドと揆を一にする藝術的立場を取る者にして初めて成し得た訳業であったと言える。

かつてウォルター・ペイターの『ルネサンス』（*The Renaissance*）をスウィンバーンの詩の一節を借りて、「精神と感覚の黄金の書、美の聖典」（"Mr. Pater's Last Volume [*Appreciations*]"）と称揚したワイルドはなおも後年獄中で、「私の人生にかくも不思議な影響を及ぼしたあの本」（*De Profundis*）と、『ルネサンス』の及ぼした薫習（くんじゅ）の深さを追懐したのであった。ワイルド藝術はペイターの藝術思想に培はれ開花を見た。その根本的思想は何かと言えば、古代ギリシアのエピクーロス哲学に他ならない。キリスト教とは全く相容れないエピクーロス思想は、人生観としては十六世紀になってフランスのモンテーニュ（Michel Eyquem de Montaigne 一五三三〜九二）の『随想録』において甦り、その原子論は十七世紀前半、同じくフランスのピエール・ガッサンディによって掘り起こされニユートン（Isaac Newton 一六四二〜一七二七）もそれを受け継いだ。藝術思想としては十九世紀後半英国のペイターによって復活したのであった。その中枢をなす考え方は、感覚に従って見るべし、自然に服従すべし、心境の平静即ちアタラクシアを保つべし、この三点に尽きる。日本人にとっては当たり前の思想でも、キリスト教社会においては、ペイターは異端者として疎まれ、ワイルドは社会から抹殺された。

ワイルドと肉慾で繋がった三島は、当然ペイターと無関係ではあり得ない。ゆくりなくも「不思議な影響」の源に踏み入った。『ルネサンス』に代表されるペイター藝術は、ゲルマン的象徴思考とギリシア的合理思考との融合形態の実現を目論むものである。三島は『貴顯』においてペイターに倣い、「微妙な寫實と透明な抽象性」とが入り混じりつつ、最終的には明確な輪廓を結ぶことのない表現形態を試みたのである。とまれ、三人共に偽善的社会に厳格な言葉の形を示しつつ、なおも形なるものの無であることを明らめた。

III　マルコ・ポーロの知的好奇心と商魂

マルコ・ポーロ（Marco Polo 一二五四〜一三二四）の『東方見聞録』（イタリア語では通常 *Il Milione* 英語名はアルド・リッチ Aldo Ricci の英訳により *The Travels of Marco Polo*）は、古典的書物の常として、誰でもその著者の名と書名は知ってはいても、それを全巻読み通している人は少ないであろう。少年マルコは父と叔父に同伴して、一二七〇年にヴェネツィアを立ち、中央アジアを経て一二七四年夏に元の夏の都、上都に到着した。そしてその後元朝で要職に就きそこで十七年間滞在して、一二九〇年末、泉州から海路帰国の途に就き、一二九五年にヴェネツィアに帰国した。

マルコの帰国後、一二九八年に勃発したヴェネツィアとジェノヴァとの戦争に志願兵として参戦した時、捕虜となり、牢獄の中で同室の囚人で物語作家のピサのルスティケロ（Rustichero da Pisa 生没年不詳）にこの大旅行の話をした。マルコはヴェネツィアの父の許から厖大な旅行記録を取り寄せて口述した話をルスティケロが筆記して、この名著が世に残されることになった。

　この本を読めば、当時のペルシアや中央アジアや中国の様子、その風俗習慣や民族事情や生産活動など様々な知識を得ることができるのみならず、マルコの学習姿勢とその観察的態度に大いに啓発されるところ少なしとしない。その綿密詳細を極めた旅の備忘録には驚嘆せざるを得ない。知的好奇心とその観察眼、そしてそれを支える抜群の語学力に先づは注意しなければならない。

　元が支配する地域で通用していた言語はモンゴル語、ペルシア語、トルコ語、ギリシア語であるが、マルコはこれらの言語にすべて習熟していた。マルコが経由していった中央アジアの共通語はトルコ語とペルシア語であったが、その途次それらの言葉を覚え、旅の記録に資することになったのである。ただマルコは中国語はできなかったらしい。元朝は漢人を信頼せず、役人の長はモンゴル人と色目人（西域の諸民族）に限定して漢人を支配しており、マルコもその関係からか、中国人社会とは接触が極めて少なく、敢えて中国語を学ぶまでもなかったと言われる。換言すれば必要とする外国語は貪欲に吸収していったのであろう。

『東方見聞録』の内容は直接体験に基づくものばかりではなく、旅の先々での伝聞も含まれている。日本に関する記述もその一例にすぎない。日本を訪れた訳でもないのに、黄金のジパングとして金の産出の豊かさを述べていることは周知の通りであるが、日本人は人肉をどの肉よりも旨いと言って捕虜を殺して食う習慣があるなどという驚くべき誤解が記されているのも、根拠のない伝聞に拠った誤った記述であろう。

　しかし知的好奇心の権化のようなマルコには、視点が定まっていた。マルコの父ニッコロ

(Niccolò Polo 一二三〇頃〜一二九四頃) はマルコを同伴する以前に、本国を遠く離れてコンスタンティノポリス、クリミア半島、ボルガ流域、そして終には上都にまで奇貨の売買を求めた生粋のヴェネツィア商人である。それ故にマルコ自身も商人としての観察眼が冴えている。中央アジアの鉱物資源や、日本には金が潤沢にあるという記述もそうした視点からの記録である。

因みに、中央アジアの鉱物資源というと、ラピス・ラズリ (lapis lazuli "lapis" はラテン語で石または宝石の意、"lazuli" はペルシア語で紺碧を意味する lazhward に由来する) もそのひとつである。それはアフガニスタン東北部にだけ産する宝石で、エヂプトでは前三〇〇〇年頃から、そして古代メソポタミアでも利用され珍重されてきた。『東方見聞録』第一章四十八節「バラシャンという広大な国」において、このラピス・ラズリに言及がなされ、「その質の佳良なること世界無比を誇る群青(ぐんじょう)の原石を出す山もある」と記述されている。バラシャン (Balashan) とは、アフガニスタンのバダクシャーン (Badakhshān) 州のことで、バラシャンという発音はバダクシャーンの訛音である。lazhward 及びその派生形の lazuli がフランス語の azur、英語の azure、日本語の瑠璃として、いづれも紺碧の意味で東西の世界に伝播していったことは興味深い。この言葉に関係する南仏のコート・ダジュール (Côte d'Azur 紺碧海岸) は馴染みの固有名詞だが、ラピス・ラズリと言えば、ヴェネツィア派の巨匠ティツィアーノ (Tiziano 一四八八／九〇〜一五七六) を初めとして、多くの画家達がこの貴重な石を砕いて顔料とし、聖母マリアの衣を描くのに用いたことはよく知られている。この舶来の高価な顔料を使ってでも、鮮やかな深い青色のマリアの衣を描く価値を見出だしていたのであろう。作品によってはくすんだ青みがかった緑が使われている場合もあるが、聖母マリアの衣が紺碧でなければならなかったのは、それが天の王国を象徴するものだったからである。一方、地上に瑞々しく色づくキリスト教信者達の共同体は、緑色で象徴している。

ラピス・ラズリのこの瑠璃色を指してウルトラマリーン（ultramarine）と言うが、ultra はラテン語で超、英語で beyond の意味である。従って、ウルトラマリーンとは海を越えての意味となる。はるばる海の彼方のアフガニスタン東北部から、地中海を渡ってきたラピス・ラズリであらばこそ、海を越えてきた石なのである。一言附言しておけば、紺碧色は沙漠の多い乾燥した地域で好まれてきたが、古代ギリシア人は青系統は死の色として避け、生命の色である血の色好んだ。ギリシア文明の濫觴である、地中海人が営んだクレタ文明でも代赭色が好まれ、現代でもギリシア、イタリア、南仏、スペインで生命的な暖色系の色が好まれている。

『東方見聞録』を読んでいると、次から次へと歴史的繋累の広がりを辿らせてくれるのみならず、ペルシアの「山の老人」の刺客養成の話にしろ、今では中国に侵略され虐げられている優れた仏教国チベットの当時の習俗にしろ、人間という有情（うじょう）なるものへの深い思いにいざなってくれる。

名だたるヴェネツィア商人の子として、商魂逞しいことは否定し難いが、そこには世の中を知るという純粋な知的好奇心が融合一体化しており、ひとつの優れた物語として読めることは、何にも代えがたい魅力と言ってよい。

元の皇帝の命を受けて中国の西北辺境や雲南を視察した時も、その生活様式に関わる産業に注意し、例えば舟運の荷の種類やその数量、舟の通運数等を記すなど、その記録は詳細を極める。マルコはその土地土地の風俗習慣を語って読者を楽しませるが、それは対象をどの観点から見るかという批評的観察眼に支えられているからである。

戯曲『サロメ』、童話『幸福の王子とその他の物語』（*The Happy Prince and Other Tales*）或いは『獄中記』などの傑作で知られた十九世紀末の花形オスカー・ワイルドは、近代風のリアリズムとは無縁の物語性豊かな歴史書や旅行記の代表例として、それぞれ古代ギリシアのヘーロドトス（Hērodotos 前四八四前後～前四二五前後、小アジアのハリカルナッソスの人）の『歴史』と『東方見聞録』を挙げている（"The Decay of Lying"）。単なるリアリズムでは逸美な藝術は生み出されないのと同様に、単なる実證主義では事物の本質に踏み込めず、優れた研究成果は見込めない。批評的観察眼を通して集められた事実に基づく資料は、想像力の糸で縫い合わされ、物語性を持つ有機的な形に纏め上げられることによって、初めてより真理に近づき説得力を持つ作品となる。

利潤追求の商魂と藝術とは一見対蹠的関係にあるかのように見えるが、『東方見聞録』は謂わば商魂によって生み出された藝術作品である。それを可能にしたのは、知的好奇心とそれを支える外国語能力、確たる視点に拠る批評的観察眼、物語性を保障する人間味に溢れた豊かな想像力である。マルコに認められるこれらの資性は普遍的価値を持っている。『東方見聞録』は豊かな歴史的資料として読者を楽しませてくれるのみならず、対象をどのような観点から見るべきかという、その批評眼のあり方をも教えてくれる。

使用文献

マルコ・ポーロ著『東方見聞録』、愛宕松男訳注、平凡社、昭和四十五年

IV　ペイターと日本

「精神と感覚の黄金の書、美の聖典」とは、スウィンバーン（Algernon Swinburne 一八三七～一九〇九）が一八七二年、ゴーチェ（Théophile Gautier 一八一一～一八七二）の長逝を悼んで書いた『ソネット（「モーパン嬢」に寄せて）』（*Sonnet.* (with a copy of *Mademoiselle de Maupin.*)）の冒頭の二行を飾った言葉である。この詞藻をそっくりそのまま引用してペイターの『ルネサンス』（*The Renaissane*）を評したのはワイルドだった（"Mr. Pater's Last Volume [*Appreciations*]"）。事の本質を的確簡潔に抉り出し、換骨奪胎の才に長けたワイルドらしいまことに要を得た借用である。『モーパン嬢』はその「序」において、「真に美しいものは無用のものにしかない」と、藝術の無用の用を標榜し、「私には快が人生の目的であり、この世で唯一有用なものであるように思われる」（*Mademoiselle de Maupin,* trans. by Helen Constantine）と、藝術美の快の有用性を言挙げした。藝術の無用の用を説いたのは、日本では早くに松尾芭蕉の「予が風雅は夏爐冬扇のごとし」（「許六離別ノ詞」）に代表されてあるが、日本美術愛好家でもあったゴーチェは藝術の無用の用と、藝術の快美の有用性をこの「序」において言揚げして、唯美主義の魁となった。『モーパン嬢』をダンテ・G・ロセッティ（Dante Gabriel Rossetti 一八二八〜八二）を通して知ったスウィンバーンはゴーチェに心酔し、深甚な影響を被っていたが故の、この詩句である。

この『モーパン嬢』は、スウィンバーンのみならず、ペイターもワイルドも斉しく鍾愛した書であった。そのワイルドがその同じ詩句を借りてペイターの『ルネサンス』に献じたことは、唯美主義藝術運動の中で前者にまさるとも劣らぬ価値を附与していることを窺わせる。スウィンバーンがゴーチェとロセッティとを己の藝術の寄る辺としたように、ワイルドにとっては『モーパン嬢』と『ルネサンス』が藝術上の拠り所、否、前者以上に『ルネサンス』がその藝術思想を根柢から支えていたに違いない。「ペイターは自分を『よろめかせた』唯ひとりの人間だ」（Thomas Wright, *The Life of Walter Pater*, II）と語ったワイルドの言葉はそのことを證して余りある。ペイター藝術はモザイクのようで、言葉に真の律動的生命がないと不満を持ちつつも、ワイルドは獄中にあってなおも、「私の人生にかくも不思議な影響を及ぼしたあの本」（*De Profundis*）と呼んだのが、他ならぬ『ルネサンス』であった。

かてて加えて、「我がイギリス文学において最も美しい散文の書物」（"Walter Pater," *Studies in Prose and Verse*）と、『ルネサンス』に絶大な讃辞を呈したのが、アーサー・シモンズである。ペイターを欽仰したヴァーノン・リー（Vernon Lee 本名 Violet Paget 一八五六〜一九三五）の本を読んでから本格的にペイターの世界に入っていったシモンズは、『ルネサンス』と『マリウス』(*Marius the Epicurean*)を最初に読み、「ペイターの書く文はどれもひとつひとつが音楽的」(K. Beckson, *Arthur Symons*, "These affairs of literature")であると感動し、その文体の音楽性を継いでゆくことになる。それだけではない。ペイターの批評方法に範型を見出だしたこの批評家は、『ルネサンス』に倣って『文学の象徴主義運動』(*The Symbolist Movement in Literature*)をものしたのである。

ジョージ・ムーア(George Moore 一八五二〜一九三三)について触れておけば、英語を忘れさせるために母親によってパリに送られたこのアイルランドの小説家が、フランス語でなくても、英語で美しい文章が書けることを知り自信を持つようになったのは、ペイターの文章にめぐり合ったことを機縁とする(西脇順三郎『メモリとヴィジョン』「GEORGE MOORE」参照)。

翻って目を日本に転じてみると、日本にもたらされた最初のペイターの著作は、武田勝彦氏によれば、『ルネサンス』であり、記録に残る限り上野図書館に収められた明治二十二年(一八八九)のことである。平田禿木(明治六年〔一八七三〕〜昭和十八年〔一九四三〕)が上野図書館でこの書物に接していたく感動し、明治二十六年十一月『文學界』の「時文」において無署名でペイターを初めて紹介した(『比較文学の試み』参照)。

しかし本格的にペイターの作品を紹介したのは上田敏(明治七年〜大正五年〔一九一六〕)であり、それは明治二十七年に始まる。敏は『ルネサンス』と『享楽主義者マリウス』に深く親しみ、ペイターを崇拝し己の文学研究の支えとした。

敏がペイター文学を学藝の庇蔭としたこと以上に、ペイター文学を通して日本語を刷新した功績は看過し難い。西欧の新しい形の文学と新しい言語に出合い、それを翻訳するに際しては、それに適応させるべく旧来の日本語の措辞から蟬脱し新たな形を作らねばならなかったからである。敏の文学研究と日本語の新しい文体の創造の背後に、『ルネサンス』があり『マリウス』があったことは、ペイター文学がいかに、直接的であれ間接的であれ、日本語の刷新に関わるところがあったかということは刮目すべきことである。

先に引用したシモンズの「我がイギリス文学において最も美しい散文の書物」という一節に接して、『ルネサンス』が無性に読みたくなり、終にはペイターを「全心をこめて愛讀し尊敬した」のが西脇順三郎である。「その内容の豊饒なことゝ、その内容の美にすつかり感心し、寒心してしまつた。早く讀むのが惜しい氣がした」（『諷刺と喜劇』「現代文學回顧」）と、詩人は二十三歳頃のことを回想している。順三郎が自然の本質と自己の内奥への冷徹な観察を踏まえた幻影（ヴィジョン）としての藝術形態をペイターから導き出し、日本現代詩の文体に新機軸を出したことは劃期の偉業であった。

そして工藤好美（明治三十一年［一八九八］～平成四年［一九九二］）もペイターの翻訳を通して日本語の新たな展開を実践して見せた。それはペイターを日本の古典の言語と結び合わせることにあった。工藤の訳業は『マリウス』に代表される創作の方面に向けられた。この碩学にとってそれまで知っていたいかなる文学や言語とも違うペイター文学に初めて接し、そしてそれを訳出するに当たっては、敏と同様に日本語を新たな形に刷新する必要に迫られた。

工藤は現代日本語を絶って、『古事記』、『萬葉集』、『伊勢物語』、『源氏物語』、『方丈記』、『徒然草』、『平家物語』、芭蕉、上田秋成、近松、西鶴の世界に引き籠もった（『文学のよろこび』「文体について」参照）。日本語の本源的な形と意味に立ち返り、そこで初めてペイター文学独自の言葉と形態を日本語に、謂わば転生させたのが、工藤訳の『マリウス』である。日本語本来の明快でなめらかなきめの細かい組織を持つ清新で瑰麗な文体を生み出している。工藤の場合も上田敏と同じく、翻訳を通して日本語の新たな生面を切り開いたのである。そもそも工藤は若き日に俳人種田山頭火（明治十五年［一八八二］～昭和十五年［一九四〇］）と親しく交わった歌人である。ペイターの文体の織り目から恰も匂い立つかのように気韻生動する音楽は、その藝術家の魂にのりうつり、翻訳は馥郁たる気に満ちている。

されればこそ、批評家川村二郎（昭和三年～平成二十年）が日本古典を濫觴とする工藤のいのちの温もりを持つ新たな文体を通して、ペイターの世界に引き込まれていったのもうべなるかなと思われる。川村は旧制高校一年生の時に古本屋で工藤訳の『マリウス』を見つけて以来、「一貫してペイターの信徒」になったという。工藤の「古風な格調を保ちつつしかもしなやかな、微妙な陰翳に富んだ日本語の表現」（『白夜の廻廊』）がペイター藝術への入口となった。川村は工藤の開いた文体の蹤跡に拠りながら、人間性の奥処（おくか）から魂の肉聲を以て語りかけてくるペイター文学を指針となした。この批評家の文体は瀏々としていながら精緻なきめの濃やかさと、対象への共感的な親密さを見せる。工藤の生み出した文体の流れを汲みながら、ペイター文学の受容とその新たな日本的展開を成し遂げている。

『マリウス』から入った川村も勿論、『ルネサンス』、殊にその「結語」には「なまなましい衝撃を心に受けた」ひとりである。言えばさらなり、『マリウス』は英国社会から厳しい指弾を受けたこの「結語」の一種の辨明として書かれたものであり、『ルネサンス』とはその後楯として密接な繋がりを持っている。

かくもその若き日の謫仙耆宿（たくせんきしゅく）に深甚な影響を及ぼし、新たな観点の附与、藝術としての批評という文学形態の確立、加えて日本語の新生面の開拓に結果的に与ることとなったペイター文学の審美主義を代表する『ルネサンス』は、人間性の根源を探る批評文学であるだけに、時代を超えて人に訴えかける言霊の力を保持している。

顧みれば、ペイター文学の同好の士が昭和三十六年十二月八日に新橋の「一松」という店に、田部重治、河口真一、西崎一郎、武田勝彦の諸氏が集まり、ペイター協会の設立について協議した。そして翌三十七年二月十七日に芝公園にある「音羽」に、更に工藤好美、西脇順三郎の両氏をも迎えて、日本ペイター協会が呱々の聲を上げたのであった。その四年後の昭和四十一年には日本ペイター協会会報が発刊され、創刊号で田部重治会長はペイター協会設立の目的として、二点挙げている。要約すると、ひとつはペイター研究を通して一般文化に関する認識を深めること、もうひとつは、ペイター文学の持つ独特の問題意識喚起力により、思いがけない角度や新しい視野を得て、文学研究の新たな地平を切り開くことである。

ペイターは万人向きではなく、ごく限られた人々を魅了し文化の発展の源泉となってきた。工藤好美が自宅の座談の席でたびたび形容したように、ペイターは小さくともぴりりと辛い山椒の実のような存在である。基本的にはゲルマン的象徴思考に立つ藝術家であるが、仏教や伝統的な日本の自然観である相互滲透性乃至相互補完性に自然の本質を見ている、西洋人としては稀有な文学者である。その哲学が仏教哲学に近いエピクーロスに倣うペイターの姿勢が、明治以降、一部の文学者を惹きつけ新たな文学の開拓に寄与してきたことは、紛れもない歴史的事実である。

Ⅴ　昭和天皇御製と福田陸太郎先生

忘れ難いひとつの歌がある。それは学匠詩人故福田陸太郎先生が八年の推敲を経て平成十年にその英訳を完成した昭和天皇の御製である。

昭和天皇は昭和五十八年に羽咋の氣多（けた）大社の社叢「入らずの森」を御覧になった時、

斧入らぬ　みやしろの森　めつらかに
からたちはなの　生ふるを見たり

と詠まれた。この御製は石に鐫（え）られ氣多大社の一角に据えられた。更には氣多大社には外国人訪問客も多いのでその便宜をはかるべく、氣多大社は三井秀夫宮司が直々に、自身の母校羽咋高校の前身である旧制羽咋中学校出身の先輩に当たる福田陸太郎先生に御製の英訳を依頼した。因み

御製とその英訳、この英訳の左側に入江相政侍従長（当時）の揮毫による御製の碑が並んでいる。（筆者撮影）

にその御製は次のように訳された。

Going into the unaxed woods
Of the shrine
We found—how rare!—
The Karatachibana
Growing there.

森の神威に満ちた幽邃（ゆうすい）な雰囲気がすぐれて明快に表現されているこの佳什を、いかに英訳すべきか、福田先生がかなり頭を悩ましたことは、その推敲の歳月がよく物語っている。

この御製は実に明確な心象喚起力を持ち、神韻縹渺たるものがある。描かれているのは、氣多大社の森でありながら、表現の普遍化と抽象化により、霊威に満ちた自然そのものである。一見何の変哲もない実にあっさりした大御歌（おおみうた）で

「入らずの森」（筆者撮影）

ある。しかし読めば読むほどにその澄みきった静謐な形象は、その巧みな措辞を通して読む者をその深みに引き込んでゆく。対象を洞徹する目と、私を捨てた抒景への誠と、それを支える高邁な境地、それに技巧を技巧と思わせぬ巧緻な技の継承が綯（な）い交ぜられて、歌として完成の域に到達している。そこには自然それ自体に普遍化された雅（みやび）の心が具体的な形となって象られている。それ故に、この英訳は相当の難事であったことは推して知るべし、福田先生にとって彫心鏤骨の仕事であった。

伊勢神宮では平成二十五年に第六十二回の式年遷宮が執り行なわれるが、原初の形をそのまま二十年毎に繰返すこの伝統行事は、原初形態の再生の繰返しであり、写しは単なる写しではなく、そのまま原初それ自体であり、その命を宿した新たな甦りである。先の大御歌の技巧を技巧と思わせぬ巧緻な技は、滅びと甦りの永生を形にした式年遷宮とその精神形態を同じくし、御製も亦古くて新しい。

『萬葉集』は上下の隔てなく、大衆の歌も等しくみやびの心に与るものであり、歌は萬葉以来、日本文学の核心である。かくして短詩形文学は今日なお隆盛を誇っている。

最近、とある歌集に接していささか思うところがあった。国民の魂の拠り所としての日本の伝統的短詩型文学も、世の悪弊になづむところがあり、藝術の虚構性を保障する夏爐冬扇の風流の精神を失い、個人的な感情やイデオロギーを盛る手軽な道具としての受け皿に堕している場合が多々ある。伝統に基づくことによる品位と普遍性、真理の表出の拠り所である、私を捨てた虚構の岸辺から流離して漂う傾向が、弥増しに強まっているのを見るにつけ、文学衰頽もうべなるかなと思った次第である。

短詩型文学のみならず現代詩をも含め、詩歌が根を失い何処のものともしれぬ無国籍的な漂流物の様相を呈しているのも、戦後来、国の大本を忘れて魂の空白状態に落ち込み国柄と礼節を喪失した日本の姿をいみじくも反映しているからであろう。

那須余一（後に与一に改名　生没年不詳）が文治二年［一一八六］に戦勝祈願で奉納した鳥居が今なお残る那須温泉神社の社殿の脇に、昭和天皇・皇后の歌碑が建っている。天皇は崩御される四ヶ月ほど前の昭和六十三年夏、那須御用邸を散策中に、

空晴れてふりさけみれは那須岳は
　さやけくそひゆ高原のうへ

と詠まれている。戦後もなお心有る人々にとっては日本の精神的支柱として天（あめ）の下（した）知らしめしし

昭和天皇の御姿が、私を捨てた形でこの叙景そのものに髣髴している。一国の生命原理としての魂が自然それ自体と融合一体化してそこに息づいているのである。

因みに、新渡戸稲造（文久二年［一八六二］～昭和八年［一九三三］）は、天皇における国土及び国民との関わりについて、次のように言っている、「国民の意識における自然崇拝は国を心の奥底から慕わしいものにし、片や先祖崇拝により、血筋を辿ると国民すべての初祖が皇統に帰する。私達にとって、国は金を採掘したり穀物を刈り取る土地や田畑以上のものであり、それは神々や私達の先祖の御霊の坐す神聖なすまいなのである。即ち私達にとって、天皇は法治国家における警察組織の最高責任者、或いは文化国家の守護者すらも凌ぐ存在であり、天皇はこの世に生きておられる天つ神の代理人であらせられ、自らその力と慈悲を合わせ具えておられる」（*Bushido,* “Sources of Bushido”）と。天皇を現人神ではなく、神の代理人と言っているところは、新渡戸のキリスト教徒のキリスト教徒たる所以であるが、国土というものを神々と先祖の御霊の坐す神聖なすまいであり、天皇が天つ神の力と慈悲を体現しておられると述べている点は、注意してよい。

昭和天皇は終戦後間もなく、やむなく人間宣言をされたが、昭和天皇にとっても、国土とは神々としての祖先の霊と今生きている国民の神聖なすみかにほかならなかったであろう。そのような国土に活計（たつき）してきた国民の魂を、この叙景は体現しているのである。それ故にこそ、この巧みて巧まざる澹容（たんよう）なるこの歌を読むと、どこともなしになつかしさを覚え、心の安らぐ思いを禁じ得ない。

このような歌の魂に生かされている先の御製を英訳するという仕事は、さぞかし心に重くのしかかる難題であったことと推察される。

VI　青木年広画伯、その藝術人生

昨年（令和元年）、葛谷登教授から「入門演習」の授業で、平成三十年発行の*Lingua*第十二号（愛知大学語学教育研究室発行）の表紙絵に、御好意により『流れ込む（板取川）』の絵を使わせていただいた青木年広画伯を招いて、藝術と人生について語ってもらったらどうかという提案を受けた。経済学部の「入門演習」の授業で藝術家を臨時講師に招くということは、私には思いもよらないことであった。葛谷教授のねらいは、蹉跌にくじけず一念を通すその人生態度を学生達に学んでもらいたいというところにあったようだ。

葛谷教授の慫慂に従い青木画伯を招き、令和元年七月十日の二時限目の葛谷教授と私の「入門演習」合同授業として、L八〇六教室おいて講演会が開かれた。画家は五十名余りの学生に加えて、愛知大学のホームページでも公開講演会として広告されていたので来聴した一般の参加者数名を前にして、藝術家の人生を語った。オーバーヘッド・プロジェクターを使って自身の作品を

講演する青木年広画伯（筆者撮影）

紹介しながら話を進めたのみならず、板取（いたどり）川の清流を描いた実物の大きな作品をわざわざ持参して、会場の雰囲気を一変させた。一即多、多即一は禅の根本義であると共に、ギリシア藝術の奥義でもあるが、会場の雰囲気はその作品の一点に収斂すると共に、作品は会場全体をひとつに染め上げる効果をもたらした。藝術家は些細な一点の事物のもたらす効果を熟知しており、計算済みの配慮であった。更に自身の絵の絵葉書を二種類づつ配付するといふ画家の無償の好意に聞き手は与ることができた。

梅檀は双葉より芳しと言う。青木画伯は高校では美術科に在籍し、早この時から自身の絵に買い手が付くようになっていた。そして亦、二年生の時には岐阜県展の青年の部で奨励賞を獲得するという快挙を成し遂げ、朝礼で全校生徒の前で校長から賞状授与がなされ表彰された。

画家で柔道をする人は稀である。画伯はその稀な画家の一人であった。旧制二中時代の立派な木造建築の体育館の北側の端が柔道場となっていた。やはり二中時代の一戸建ての柔道場があったが、団塊世代が高校生となっていた時代で、教室数が不足してその柔道場は家庭科教室となっていたからである。木造の体育館には柔道場のみならず、教室が二つ設けられてもいた。本来の柔道場には早くに衝撃吸収の装置が施されていたと聞いているが、頑丈な木造体育館に置かれ、しかも固い畳が敷かれた柔道場で投げられると体への衝撃が大きく相当にこたえた。青木画伯は柔道部に所属し、私とも乱取り稽古をして高校時代の日々を消光した。ところが或る日、柔道の稽古で右手指の骨を傷めた。絵筆を持つ指は画家の生命線であるからと、美術科の先生から退部を勧められて、その助言に従った。格闘技をする者には闘争的一徹さがある。その闘魂、その一徹さが今日まで画伯を支えてきた。

画才に相当の自信を持っていた画家の志望大学は東京藝術大学洋画科以外考えられなかった。昭和二十二年から二十四年生まれを団塊世代と言う。昭和二十四年生まれが大学受験をした昭和四十三年の大学受験は空前絶後の熾烈な競争倍率になった。当時二浪はざらにいた時代である。昭和二十二年と二十三年生まれのそれぞれ二浪、一浪の受験生が昭和四十三年の受験にどっと押し寄せた。藝術大学が今ほど多くなかった当時、東京藝大の人気は高く、殊に洋画科はその頂点に立っており、青木画伯は競争率四十六倍という苛酷な戦いを強いられた。画家によると、東京藝大は当時、四浪、五浪はおろか、六浪、七浪して入学してくる者はざらにおり、受験の時も

〈おじさん達〉に囲まれて受験した感じだったと言う。

青木画伯はあっけなく落とされた。家庭の事情もあり、浪人することは難しかったが、やっと一年だけならという条件で親から浪人生活を認めてもらい、上京して絵の研究所に入り楢原健三画伯（後に日本藝術院会員）から貴重な助言を受けながら絵の勉強に励んだ。しかしその甲斐なく二度目も叩きのめされた。若気がもたらすうぬぼれも吹き飛んだことであろう。親との約束通り岐阜に戻り家業に携わりながら、日々、絵の研鑽を積み重ねた。画家への思い已みがたく、二十八歳の時、友人の紹介で浦和在住の日本藝術院会員の高田誠画伯（大正二年［一九一三］～平成四年［一九九二］）に師事して一水会に出品し始めた。四十歳頃、岐阜高島屋で初個展を開き、それを契機として家業から離れ絵筆一本で立つ決意をした。妻子を養っていけるかどうか、人生の大きな賭であった。しかし画家は絵筆一本で妻と一男二女を養い、三人の御子は皆一流大学に進学した。

青木画伯は三十一歳の時、一水会の会員に推挙された。一水会は昭和十一年に、有島生馬、石井柏亭、硲（はざま）伊之助、安井曾太郎らによって創設された名門の画家集団である。画家は安井曾太郎奨励賞を初めとして数々の賞を手中に収めてきた。日展にもこれまで約二十回入選してきている。その実績が評価されて近年は一水会幹部として委員を務め、亦日展会友ともなっている。岐阜県の画家の第一人者として、平成二十二年に海なし県として初めて岐阜県で「全国海づくり大会」が開かれた時、古田肇岐阜県知事からの依頼で、上皇陛下と上皇后陛下が天皇・皇后両陛下として来岐された時の御宿泊先であった岐阜グランドホテルを飾る六点の長良川支流板取川の絵を制作展示して、両陛下に叡覧賜った。

平成二十九年十一月四日夜八時頃、画家からメールが届いた。今年も日展に入選したが、妻が癌で余命幾許もないので展示会に行けないと伝えてきた。しかし実際には幾許どころかその直後、二時間ほどして四十六年間連れ添った小夜古夫人は六十六歳でスキルス胃癌で他界した。

多言を弄しない画家はただぽつりと一言、「可哀想だった」と呟いた。そこに万感の思いがこもっていることは言うまでもないが、まるで禅の修行僧の如く囚われることを厭い、そのことは心の奥底に留めて濟々と制作と発表に日々を繋いだ。子供時代から来る日も来る日も根尾川（岐阜県揖斐郡大野町）や長良川の清流を遊び場にしてきた画家らしい澄んだ無常観が、画家の心を支えると共にその藝術にも反映している。

六本木の国立新美術館でその死の前日十一月三日に始まった第四回日展に展示された会心の作『静物――今を生きる』（百号）は画家が夫人を看病しながら、その目の前で描いていたもので、夫人としては最後に見る夫の絵となった。この作品の空気と静物、その両方の透明感、巧みな色彩調和を構成する画面の明るさに、今という時そのものがここには極めて瑰麗な形を得て描き出されている。画家会心の作たる所以であろう。

十一月八日に夫人の葬儀を終えた後は、悲しみに沈む暇もなく画架に向かった。翌平成三十年三月中旬に東京銀座画廊・美術館で開かれる「第十五回一水会精鋭展」に出品する作品『長良川・川風吹く』（五十号）に取りかかった。私は翌年春、その絵を見るために銀座に赴いた。私には会場をざっと見回せば大抵画家の絵は遠目でもそれとわかる。しかしこの日は違った。会場を一巡りしてもわからず、今度は作者名を見て回ることになった。この作品は長良川の背景をなす金華山の描写における筆触がやや粗く、いつもと趣を異にしていた。新たな画風への変化と取れなくもないが、私は画家の心の揺らぎを感じないではいられなかった。普段から気遣いと配慮に余念なく画家の集中力と心の平静を乱すことのなかった、藝術家の妻としては掛け替えのない夫人を失った画家の心の乱れがたゆたうているような気がした。

『静物——今を生きる』

夫人との馴れ初めを訊くと、覚えず画家の顔がほころびたほどに深い絆で結ばれた夫人を早々と亡くした心持が、否が応でもそこに滲み出てしまったのである。先の日展に出品した作品が見せた透明感と鮮やかな色彩調和とはやゝ趣を異にして、妻の喪失が影を落としている。しかし、一見事もなげに振舞ひながら辛抱強く堪えている画家にとって、それは不本意なことであったであろう。

『美しき流れ・長良川支流』

この東京銀座画廊の一水会精鋭展の後、間もなくして四月二十四日から六月十日まで、岐阜公園内にある加藤栄三・東一記念美術館では岐阜市主催「青木年広展」が開かれ、画家は精力的に立ち回った。五月三十日からはこの展覧会と会期の重なる岐阜高島屋での個展が並行していたからである。この展覧会のために『青木年広作品集　TOSHIHIRO AOKI 2018』が出され、私も画家からの依頼で「青木藝術の透明性」と題した序文を寄せた。

同じ年の平成三十年九月十日から東京都美術館で始まった「第八十回記念一水会展」には、『美しき流れ・長良川支流』（百二十号）の大作が出品された。優秀作品は第一室に展示される。この作品もその例に漏れなかった。東京銀座画廊に出品した作品とはすっかり趣を変え、画家は蟬蛻（せんぜい）していた。極めて集中力のある精神的に安定した境界に立ち返っていた。板取川の無機質の清流が、小さく描き込まれた飛端を飛ぶ二羽の川烏と水面下の数匹の鮎の魚影により、有機的な生命体と化している。そしてそれらの生き物は見る者にいのちの郷愁を喚び起こす。そのような形に変化させるその技倆は驚異的でさえある。道元が語る飛去しつつ飛去せざる時の観念を、流れて流れざる有時の而今、三世を貫く今そのものを描いてみせた。青木藝術の神髄或いは本領はまさにこの一点に尽きる。青木画伯の独創的な画風の模倣者、追随者が現れてきていると言う。

この『美しき流れ・長良川支流』は文部科学大臣賞の最終選考の四点に残った。しかし惜しむらくは賞を逸した。四点まで絞り込まれるとなると、実際には殆ど優劣がつきがたくなるのも亦事実である。完成度の高い技倆に裏打ちされた青木画伯のこの作品は、思想性と人生観、ともにその深みに達している。その深みのある藝術性は自づと人の心に訴えかけてくる。画家は、或る展覧会で自分の絵を見ながらしばらく涙ぐんで佇んでいる女の人がいたと語っていたが、さもありなんと納得させられる。

紀元一世紀のヒスパニア出身の修辞学者クィンティリアヌス（Marcus Fabius Quintilianus 三五頃～一〇〇頃）は、ギリシアの詩人シモーニデース（Simōnidēs 前五五六頃～前四六八）の的確にして簡潔な表現を得た詩には、憐れみの情を喚起する力があると言って評価している。西脇順三郎（明治二十七年［一八九四］～昭和五十七年［一九八二］）は詩には哀愁がなくてはいけないと言った（「考えをかくすもの」参照）。この種の感情は藝術に必須の要素である。画家は余人の追随を許さぬ迫真的な透明感を極めた無機質の清流を描きながら、それを一個の生命体に変化転成することにより、普通の人間なら等しく持つ人生の悲哀の感情や郷愁をそこはかとなくその表現のうちに潜ませ、見る者の心の奥処に訴えかけてくる。因みに、私はこの絵が気に入ったのみならず、そこには私の物の見方と通い合うものが多分にあり、自著の内容に融和するものを見出だした。友人のよしみで昨年の令和元年九月に版行した『ペイター藝術とその変容――ワイルドそして西脇順三郎』の表紙に使わせてもらった。

プルータルコス（Ploutarchos 四六頃～一二〇頃）はシモーニデースの言葉として、「絵は物言わぬ詩、詩は物言う絵」であると伝えている。優れた絵は詩情を豊かに湛えている。それは人生への深い洞徹と共感に裏打ちされた、生きとし生けるものへの慈しみの情が流露しているからである。青木藝術において、無機質の清流が有機体に変じて見る者に迫ってくるのは、耳には聞こえぬ聲で語りかけてくるその詩情ゆえのことである。

オスカー・ワイルドは「社会主義の下における人間の魂」（"The Soul of Man under Socialism"）という藝術論において、イエスの生き方を真の藝術家の姿になぞらえている。「汝自身を知れ」という古代ギリシアの標語に代えて、「汝自身になれ」という生き方を実践せよ、それがイエスの奥義だと言う。ギリシア学者のワイルドが標榜するニューヘレニズムとは、まさに己に徹することであった。世俗性を忌避したワイルドらしい言葉であるが、藝術において世俗に媚びるほど卑しい振舞はない。講演の後、一般の来聴者からの質問として、絵筆一本で食ってゆく立場において、少しでも人の好みに合うような絵を描いて売れるようにすることはないのか、という発言があった。画家は言下に否定した。少年時代から純粋藝術を追い求めて己自身たることに徹してきた青木画伯に、世俗に媚びることほど己の藝術の意義と存在価値を否定するものはない。その気魄には学生達を圧倒するものがあった。

己自身に徹するとはどういうことか、純粋藝術の世界即ち風流とは何かということの一端を、一流画家を通して垣間見た学生達の感動は大きかったようである。講演後に書かせた感想文からそれと知れた。学生達にとってそれは非日常の貴重なひと時であった。

VII　青木藝術の透明性

青木藝術は不思議な透明感を以て見る者を魅了する。その藝道は透明性の探求と言ってよく、玻璃や流水、その画面の透明感は余人の追随を許さないところがある。その透明感は十代の時から一貫して青や緑の彩色に息づき、更に適宜控え目に使用される白が一層それを引き立てる。その白は藤田嗣治の白がそうだったように、青木の白も日本の伝統に由来するものを感じさせる。

青木年広はほぼ四十歳を境にして人物はあまり描かなくなった。描いていないのではなく、静物或いは川の流れや野原そのものに人間の存在の本質が描き込まれてゆくようになったからである。野原の広がる窓辺の卓子にはガラスの器物や牛乳缶などが配されている。空に鳥の影が辷り野には川のみか、道さえもうねって流れる。画家は静物を描きながら流れを描いているのである。その流動意識がまた板取川や長良川を描かせる。青木は静物とその背景に或いは川の流れに己を投じ、己を忘れることによって己の魂を描き込んでいるのである。

静物画には幼年時代の矚目の生活道具が決まって一点は配置されている。感情を扼し凛とした郷愁がある。青木は己の根源を辿ろうとする。それが現在を保障する基となっているからだ。川を描くのも小学校時代まで揖斐の根尾川のほとりで消光し川を遊び場にしていたからであり、それが澄明性への憧れと流動意識を育むことになった。

静物に流動性を潜ませた青木は、片や清冽な流水を描いた。だがそれは永遠に凝っている。表向き長良川を描きながら、その実質は今に息づく過去としての根尾川の幻影である。青木にとって、時は飛去しつつ飛去せざる永遠の今なのである。さはれ死の意識は鳥の影となって美しい物の制作へと駆り立てる。

この主観的時間意識は古くは古代ギリシアのエピクーロス哲学にも禅哲学にもあるが、日本人一般が共有する意識である。この時間意識によって構成された画面に私達日本人は親近感と安らぎを覚える。画家の意識が形となって現出した静謐で澄み切った瑰麗な絵画空間のもたらす快美の深さは言うも更なり。青木藝術は西欧藝術を支配してきたゲルマン的象徴思考とは無縁で、民族の魂に根生する油彩による日本画と言ってよい。高校時代、筆者と柔道の乱取り稽古で鍛えた不撓の精神は今なおその藝術に息づいている。

VIII　クレタ絵画雑感

伊邪那岐命と伊邪那美命は、天の沼矛（あめのぬぼこ）で潮を掻き回し、その先より滴り落ちた潮が重なり積もって淤能碁呂島（おのごろじま）ができたと、日本の国の始まりが古事記に語られている。掻き回せば渦ができる。多くの民族にとって渦は生命の神秘的で根源的な何かを感じさせるものだったのであろう。渦巻文はケルト人の意匠に、或いはもっと古く地中海文明の、例えばマルタ島の新石器時代の神域の遺跡であるハガール・イム（Hagar Qim）やタルシーン（Tarxien）でも見られる。後者は単なる渦巻文ではなく、連渦文である。それに類した連渦文は、ギリシア文明の濫觴となったクレタ文明の中心クノッソスの宮殿遺跡でも多用されている。海の波を様式化したと思われるこの連渦文は、女神を主神とするクレタ文明が、男神を主神とし安定と尚武を旨とするミケーネ文明に受け継がれ、そこをくぐり抜けてゆくことで、縦横（たてよこ）の直線を基本とする硬化した連続的な雷文となり、それがギリシア美術の特徴的な文様となってゆく。クレタの文化は構築的なギリシアの文化とは極めて対照的で、寧ろ日本人にはすこぶる馴染みやすい形態を堪能させてくれる。

エヂプトの影響を受けて発展しながらも、独自の形態を確立したクレタの文化が生み出した絵画は、極めて生命感に溢れ不思議なほど古さを感じさせない。その瑞々しさには瞠目せずにはいられないのである。クノッソス宮殿の絵というと、「王妃の間」に描かれた、躍動感の横溢する海豚の絵が有名だが、それに限らずクノッソスの絵はどれも、あの連渦文に象徴される永遠の運動性と繊細な柔軟性、それをもたらす軽快な曲線美、人も動植物も等し並に一体化された感覚を見せる自然主義、死の恐れと苦悩に犯されない明朗闊達な現世意識をさらりと見せて屈託がない。

『百合の王子』前1600～前1500年、イラクリオン考古学博物館（筆者撮影）

日本人の無常観は強い死の意識と表裏一体をなしているが、クレタ人の変化への憧れと意識は、滅びの観念を突き抜けて、変化そのものの美の境地に達している。静止と安定と威厳を基とし、来世の観念が深く支配するエヂプト美術からも蟬脱している。軽快感のある形象が同時に実に清澄で鮮やかな色彩で彩られている。

女性的な面立ちの『百合の王子』は波打つ海の水の霊が顕現したような、或いは風のように軽やかな存在感のうちにも現世の喜びがたゆたうている。岩場の花の中で休らう『青い鳥』、或いは岩場でサフランの花を摘み取っている猿を描いた『サフラン摘み』などを見ていると、あらゆる存在物が密接な連続性のうちに包摂されている自然の有機的一体性を感じさせられて快い。争いは避け、明日を齷齪（あくせく）と思い煩うことなく、変転する現世を素直に受け止めて、「今、ここ」にある命を十全に安らかに生き抜く姿が見えて尊い。哲学者エピクーロスのアタラクシア（心境の平静）を恰も先取りしているかのようである。連渦文はクレタの絵の原型であるとともに、自然観と生の意識をよく反映していて面白い。

IX　英国の地霊に触れて

一　新石器時代の遺構

ブリテン島は不思議な気を感じさせる島である。様々な民族が入れ替わり立ち替わり現れては消え、或いは血を混じり合わせていった。そのあまたの地霊或いはゲニウス・ロキ（genius loci）とも言うべきものがその息づきを、赴く先々の土地で旅行く者にそこはかとなく感じさせ、往き去った日々の光を照り返す。おりふしの矚目（しょくもく）の数々に思いはめぐり、歩みを凝らせる。

アイルランドや英国各地に残る新石器時代の巨石遺構は古代イベリア人の残したものである。例えばウィルトシャー（Wiltshire）のエイヴベリ（Avebury）の巨石の環状列石、或いはペントレ・イヴァン（Pentre Ifan）。後者ははるばるとストーンヘンジ構築のために、約三百キロの道のりをソールズベリ（Salisbury）までブルーストーンの巨石を運び出していった石切場だった南西ウェー

Avebury stone circle（筆者撮影）

Pentre Ifan（筆者撮影）

ルズのマネス・プレセリ丘陵（Mynydd Preseli "mynydd" とはウエールズ語で山或いは大きな岡の意）の一角にあり、西の方にはマネス・カルニングリの岡（Mynydd Carningli 三四七米）が優美な線を南北に伸びやかに広げている。マネス・プレセリ丘陵はあのマーリン（Merlin）とアーサー王のケルト伝説のゆかりの地でもある。

重さ十六トンを超える楣石が、今にも崩れ落ちそうな微妙な平衡を保っているこのペントレ・イヴァン（イヴァンの村の意）は、紀元前三千五百年頃に築かれた奥つ城であり、その入口だけがぽつんと、この緩やかに稜線の波打つ丘陵に残っているのである。或る程度整った形で残ったものより、現代の生活を突き破るように露出して取り残された部分的な遺跡の方が、却って一層霊威を感じさせる。

二　ブーディカ

新石器時代の人々にとって日常生活を営むにも、巨石構築物を造営するにも、その道具を作る材料となる燧石(すいせき)の採掘は、重要な仕事である。現在イギリスには十箇所しか燧石鉱は確認されておらず、形として残っているのはそのうち六箇所のみである。ケンブリッヂから車で北東方面に一時間半ほど行くと、セットフォード（Thetford）の森にグライムズ・グレイヴズ（Grime's Graves）がある。これがその六つの燧石鉱のひとつである。最初に掘られたのが紀元前三千年頃、最後の採掘鉱が紀元前二千年頃で、ストーンヘンジが造営された時代とほぼ重なる。

ここにはあまたの窪みが八ヘクタール近い野原となって広がっている。グライムズ・グレイヴズといふ地名はアングロ・サクソン由来のもので、古代イベリア人の燧石鉱は、五世紀以降入ってきたアングロ・サクソンによって、彼らの神であるグリムの採石場と名付けられたのである。一九一四年に発掘された「ピット1」と呼ばれる立坑に一般者が入ることができる。英国の燧石鉱で見学ができるのはここだけである。地上で直径十米ある穴も、徐々に狭まって底では三・六米になる。この穴をヘルメットを被り狭い梯子を伝って降りてゆくのである。深さは十九米ある。底では更に四方八方へと横穴が延び、隣接する立坑に通じている。新石器時代人はこのよう

Grime's Graves 凹みが立坑の名残（筆者撮影）

な穴で、赤鹿の角を使って燧石を採掘していたのである。
立坑に入る前にビジター・センターで事前の諸注意をした係員の青年は、穴から戻ってくるとおしゃべりを始めた。青年は、ブーディカ（Boudicca ?〜六〇又は六一頃）がコルチェスター（Colchester）襲撃のために出撃したのは、このあたりからだと、この土地の訛りのある言葉で、いかにもお国自慢をするかの如く、まるで昨日今日の出来事のように楽しげに話してくれた。
言うまでもなく、ブーディカは今日イースト・アングリア（East Anglia）と呼ばれるノーフォーク（Norfolk）とサフォーク（Suffolk）一帯に住んでいたケルト人の一部族であるイケーニー族（Iceni）の女王として、ローマ人の支配に反旗を翻し徹底抗戦した女傑である。イケーニー族の王であった夫プラスタグス（Prasutagus）が死去した後、正式に王が選ばれるまで摂政役を務めていた。紀元四三年にクラウディウス帝（Claudius 前一〇〜後五四）がブリタンニアをローマ帝国の版図に組み入れ、イケーニー族も王国と財産を没収され、王族は奴隷扱いされつつあった。
あまつさえ、民衆を服従させる見せしめとして、ブーディカはローマ人の役人と、自分の部族の人々の面前で素裸にされて鞭打たれ、二人の娘達も凌辱を受けたのであった。領土を奪われた上、許し難い辱めに晒されたブーディカは、コルチェスターを中心とする今日のエセックス一帯（Essex）に住んでいたケルト人のトリノヴァンテス族（Trinovantes）を初めその他の部族の支援をも受けながら、自分の元に集結するイケーニー族の兵を率いて、先づは当時カムロドゥヌム（Camulodunum ケルトの軍神カムロスの砦の意）と呼ばれたコルチェスターを襲撃したのであった。紀元六〇乃至六一年のことで、ローマではあの悪名高いネロ（Nero 三七～六八）が帝位にあった。ブーディカ三十歳位の時の蹶起である。

Colchester Castle（筆者撮影）

カムロドゥヌムは当時ブリタンニアにおけるローマ人の最初の首都だった。しかも自分と娘に辱めを加えたローマ軍兵士達の本拠地がこの町にあった。イケーニー族の居住地境界の南側にあるこのローマ人の拠点を襲い、まだ築後六、七年しか経たないクラウディウス神殿もろとも、瞬く間にこの町を炎上させた。コルン川（the River Colne）のほとり、小高い丘の上にあったその神殿の跡には、千年後の一〇八〇年頃にノルマン人が城の本丸を築いた。ノルマン様式としては英国最大の本丸として今日その姿を留めている。本丸の基部にはクラウディウス神殿の基礎が今なお残り、それを垣間見ることができる。今この城はローマとイギリスに関する考古学博物館となっており、焼け落ちた神殿などの、黒焦げになった残骸を見ることができる。それを見ていると、先の青年ではないが、この蹶起の光景がまるで昨日今日の出来事のように、幻となって目交(まなかい)に浮かび上がってくる。

ついでながら、クラウディウス神殿の名称について、一言附言しておく。言うまでもなく、この神殿はブリタンニアを後四三年にローマ帝国の属州とした皇帝クラウディウスの名を冠した名称である。ギリシア神殿で世俗的な王の名を冠した神殿はない。ギリシア神殿は各都市国家が守護神とする神の名を冠した神殿にその神像を祀った。パルテノン神殿は、直訳すれば処女神殿の謂である。この場合の処女とは処女神アテーネーを指すから、アテーネー神殿ということになる。一方、世俗的精神のローマは皇帝を神扱いしたが故に、クラウディウス神殿なるものが出現することになる。

ローマの詩人オウィディウス（Ovidius 前四三～後一七／一八）は、表向き『恋愛指南』による風紀紊乱の廉により初代皇帝アウグストゥス（Augustus 前六三～後一四）により、小アジアのミレートス（Milētos）が前六〇〇年頃に建てた植民都市トミス（Tomis 現ルーマニアのコンスタンツァ）に流罪となり、その地で没した。オウィディウスも皇帝を神と同一視した。例えば、『悲しみの歌』の中で、「最も偉大な神であられる皇帝陛下、私の祈願に救いの手を」（木村健治訳、第三巻第一歌）と、流謫の許しを願っている。アウグストゥスを最高神ユピテルになぞらえて、雷神と呼ぶオウィディウスは、「聖なる祭壇で火をつけ、／偉大なる神々に香と混じりけのない葡萄酒を捧げるがよい。／偉大なる神々の中でもとりわけ神君アウグストゥス皇帝と／その忠実なお子たちとご伴侶を崇めるように」（『黒海からの手紙』木村健治訳、第三巻第一歌）と祈りを捧げ、或いは亦、「この異国は、／私の家にカエサルのお社があることを見て知っています」（同上、第四巻、第九歌）と語っているように、トミスの家にはアウグストゥス一家の像が祭壇に祀ってあった。

古代ギリシアの神話や悲劇などにおいては、己を神々に比したり、神々を侮る増上慢が、人間の不幸や悲哀をもたらす原因として語られている。ギリシア人は自然の摂理を神として謙虚に向き合うことを知っていた。哲学と藝術を愛したギリシア人は、ローマの属州としてその支配下に置かれても、血を流させて狂喜する闘技場をギリシアの地に造らせなかった高貴な民族であった。彫刻においてもギリシア人はそこに神の美を追い求めたが、一方、ローマ人は肖像彫刻を求める極めて世俗的な民族性を特徴としていた。自然の摂理の中に嵌め込まれた人間には勝手な自由はないことを知っていたギリシア人は、自然の摂理という神を僭称する愚を犯さなかった。日本ではすぐれた人の遺徳を偲んでその人を、例えば乃木神社のように乃木希典を神格化して祀ることがあるが、皇帝の神格化が世俗的欲望の極みである権力誇示に他ならないローマの場合と日本とでは、彼我の宗教観や神観が異なり同日の談ではない。

クラウディウス神殿という人間の名を冠した神殿はそういうローマ人の世俗性を示すものとして理解しておかねばなるまい。

さて話を元に戻せば、ブーディカはその後、ロンディニウム（Londinium 今のロンドン）、ウェルラミウム（Verulamium ロンドンの北西にある今のセント・オールバンズ St Albans）へと進撃してローマ軍を打ち倒したが、敗北を喫する最後の戦いの場は、ウェルラミウムからウォットリング街道（Watling Street ローマ人が整備した街道で、今日の道路A5にほぼ一致）を更に北西に進んだ、ミルトン・ケインズ（Milton Keynes）にあるフェニー・ストラットフォード（Fenny Stratford）であっただろうと言われる。ブーディカはこのウォットリング街道の戦いで、態勢を立て直したブリタンニアの総督スエトニウス・パウリヌス（Suetonius Paulinus ?-～六九）に敗れ、どこかに逃げおおせたが、戦車に乗って共に戦った二人の娘達に毒を飲ませ、自分も同じ毒を仰いで自決したと言われる。紀元六〇乃至六一年のことである。ローマ兵に捕まれば、ローマに連れて行かれ、凱旋行進で鎖に繋がれて引き回された挙げ句、処刑されることは自明のことであった。再度、辱めを受けることを潔しとせず、ケルトの名誉を守り、己の矜持を示し、末代にその英名を不朽のものとしたが、その埋葬場所は杳として知れないままである。

セント・オールバンズに残るウェルラミウムの城壁跡（筆者撮影）

『瀕死のガリア人』、カピトリーノ美術館（筆者撮影）

好戦的なケルト人は少年のみならず、少女にも剣、槍の扱いや、戦車の操縦を教える教練場を設けていた。ブーディカもそういう戦士として育てられたのだ。そもそもケルト人は男のみが戦地に赴くのではなく、家族ぐるみで移動したことからすると、女も武術を身につけることはごく自然の成りゆきであろう。

ケルト人の戦士というと、もう随分前のことになるが、ローマのカピトリーノ（Capitolino）の岡の上にある美術館へ、ひとつの彫像を求めて足を運んだことを思い出す。護身の魔力があると信じられたケルト人特有の頸環トルク（torque）をつけ、これ亦ケルト人特有の石灰を髪の毛に練り込んで髪を後向きに逆立てた勇士の、無念に死にゆく絶妙の一瞬を捉えた『瀕死のガリア人』（*Galata Morrente*）の大理石像を見るためだった。小アジアのペルガモン（Pergamon）

が前三世紀末、ガリア人に対する戦捷を記念して建てた群像の一部で、青銅製の原作のローマ模刻である。この群像には『ガリア人とその妻』(*Galata suicida*) も含まれ、妻を剣で殺して、自分もその剣を頸根に突き立てて自決せんとする姿が表現されている。この方はローマのテルメ博物館(正式名はローマ国立博物館 Museo Nazionale Romano) にローマ模刻がある。ケルト人が家族連れで戦地に赴いたことがわかる。

三　ハドリアヌスの長城

カエサル (Caesar 前一〇〇〜前四四) が前五五年と前五四年の二度にわたり、ブリタンニアに侵入したことは、その著『ガリア戦記』(*Commetarii de Bello Gallico*) に詳述されている。当時ガリア平定に邁進していたカエサルは、ガリア人の後方支援をしていた同じケルト人のブリタンニアに住むブリトン人を叩きに行った。それを契機にしてブリタンニアとローマの両世界は繋がりができ、交易も盛んになっていった。

ケルト人は部族抗争が激しい。当時カトゥウェッラウニ族 (Catuvellauni) 族のクノベリヌス (Cunobelinus 権力の座にあった時期五〜四二) によって追放の憂き目に遭っていたアトレバテス族 (Atrebates) の王でローマからその認知を得ていたウェリカ王 (King Verica 治世一五頃〜四二頃) は、クノベリヌスが死ぬとその二人の息子カラタクス (Caratacus 五一年以降にローマで没) とトゴドゥムヌス（Togodumnus 四三年没）が、四一年に帝位に就いた皇帝クラウディウスに対して敬意を示さないことを見計らって復讐を目論見、ローマに来援を求めた。この部族抗争に乗じてクラウディウスは四三年にカエサル以来久々に新たな侵入を企て、ローマ軍団を送り出した。

その後使者からの要請で、急遽皇帝は現地に出立した。ローマから海路マッシリア（Massilia 現マルセイユ）に向かい、そこから陸路ガリアを北上し、ドーヴァー海峡を渡ってケント（Kent）に上陸した後は、現コルチェスターであるブリタンニア最初の都になったカムロドゥヌムに赴き、堂々、象に乗って入って行った。諸部族の長から服従の誓約を受け容れた。クラウディウスはわづか十六日間ブリタンニアに滞在しただけでローマに帰って行った。これがブリタンニアがローマの版図に組み込まれた経緯である。

しかしブリタンニアに落着きをもたらすのには九十年余りを要した。しかしカレドニア（Caledonia）、現スコットランドまでは支配しきれなかった。カレドニアのピクト族（Picts）がローマ支配地域に侵入を繰返している紛争地域に、一二二年にブリタンニアを視察にきたハドリアヌス（Hadrianus 七六〜一三八）の命により、ニューカースル（Newcastle）のタイン川河口（the River Tyne）からカーライル（Carlisle）近くのソルウェイ湾（Solway Firth）のイーデン川河口（the River Eden）に至る全長百十七キロに及ぶハドリアヌスの長城（Hadrian's Wall）が七年の歳月をかけて築かれた。計画では幅三米、高さ五米の石積みで、手前には深さ四米の堀が設けられることになっていたが、建築中に変更があり、高さは二米になった。その石積みも、西の端は石積みではなく、

Housesteads Roman fort ハウスステッヅの要塞から東に見るハドリアヌスの長城（筆者撮影）

塁壁でその上に木柵を立てるという簡素なものになった。この防壁が設けられる以前に、東はタイン川縁のコルストピトゥム（Corstopitum 現コーブリッヂ Corbridge）から西はイーデン川縁のルグワリウム（Luguvalium 現カーライル Carlisle）までステインゲイト（the Stanegate 鋪装道路の意 stane=stone）と呼ばれるローマ街道が建設された。これは恐らく、アグリコラ（Agricola 四〇〜九三）がブリタンニア総督の任務に就いていた七七年から八五年の間に建設されたのだろうと言われている。この軍事道路に沿ってハドリアヌスの長城は造られた。その防壁には十六箇所の要塞が設けられた。

ステインゲイトは元の完全な道筋は失われているが、部分的には国道B6318（George Wade という軍人により十八世紀初めに整備された軍用道路）やA69と重なり合うところがあるようである。ハドリアヌスの長城一帯は吹きさらしの曠野（あらの）で冷たい風が吹き渡っている。或る日B6318を西に向かって車を走らせている時、私はふと左手に茫々たる枯れ草の向こうに見え隠れする小さな遺跡があることに気付いた。ここはカロバーグ（Carrawburgh）というところで、ブロコリティア（Brocolitia）と呼ばれた要塞が置かれていたところである。B6318を造る時、この地点の防壁と要塞の一部が取り壊された。一九四九年要塞の南西隅から八十米ほど離れたところから発見され、翌年発掘されたのが、このミトラス（Mithras）の祠、「ブロコリティアのミトラス神殿」（Brocolitia Mithraeum）である。三世紀初めの頃の神殿である。

ブロコリティアのミトラス神殿、カロバーグ（筆者撮影）

ミトラ（Mithra）はインド・イラン神話における光明の神である。ヴェーダには前一四〇〇年にその名が現れるが、その信仰は東はインドから、そしてローマ時代に至っては西はヒスパニア、ブリタンニア、ゲルマーニアにまで及んだ。ペルシアで栄え、次いでアレクサンドロス大王（Alexandros 前三五六～前三二三）にペルシアが敗北すると、ヘレニズム世界に広がった。更にこの神はローマ帝国内ではミトラスと呼ばれ、兵士を介して伝播し一世紀後半から四世紀中葉まで信仰された。皇帝コンモドゥス（Commodus 一六一～一九二）やユリアヌス（Julianus 三三一～三六三）もこの神の信者であった。ミトラスは光明の他に、正義、契約、戦の神でもあり、殊にローマ皇帝への忠誠の守護神として崇拝されていた。故国を遠く離れこの辺境の地で強い寒風に吹きさらされながら服務したローマ兵にとって、こうした祠は心の拠り所であったであろう。

　辺境の地での守備隊生活とは言え、割合に豊かな生活をしていたようである。一九七三年に、コーブリッヂの西二十キロ余りの所に位置するウィンドランダ（Vindolanda 現バードン・ミル Bardon Mill 付近）という要塞跡で、樺や榛（はん）の木、オークなどを薄くそぎ取った板に書かれた手紙類を含む大量の文書が発掘された。要塞の中にも外にも家並が櫛比（しっぴ）し、賑わっていた。守備隊員は単身赴任とは限らず、家族生活をしていた。ブロックス（Brocchus）という指揮官の夫人が、ケリアリス（Cerialis）の妻に、「私の誕生日祝賀会の日のために、あなたを心から御招待申し上げます」と伝える招待状もあれば、或いはビールがなくなり上官に遠慮がちに自分の部下のためにという名目で追加要求する文書も残っている。或いは亦、ウェルデディウス（Veldedius）という人がロンディニウム（Londinium 現ロンドン）から公務でウェルコウィキウム（Vercovicium 現ハウスステッヅ Housesteads）に向かう途中、ウィンドランダにいる兄弟や仲間に会ったりしたことを示す手紙もあれば、「靴下を数足、サンダルを二足、パンツを二枚あなたに送りましたよ。グレート、エルピス、それからあなたのすべての友人達と共に、私はあなたが最高の幸運に恵まれて生活していることを祈っています」という、母親が息子に送ったと覚しき手紙があり、いつの世にも変わらぬその親心が窺われる（Mike Ibeji, *Vindolanda* at the BBC website 参照）。

　食事については、ウィンドランダの文書にはのろ鹿、鹿肉、香辛料、オリーブ、葡萄酒、蜂蜜などを初めとして、四十六種類の食品が出ている。にんにく、大麦、酢、塩、ガルム（garum ローマの食卓に必須の魚醤）、豚の脂身が入荷してくることも記されている。こうした食品はブリタンニアにはない食品が含まれている。要塞内外の様々な人々に小麦が供給され、普通の兵士でも胡椒や牡蠣のような贅沢品を手に入れ、地元の肉屋ではベーコンがよく売れていたという。兵士も一般住民も食糧事情は悪くなかった（同上及び *The Romans in Britain* 参照）。

ローマ兵というのは言うまでもなくローマ人だけではなく、帝国内の人々が援軍として関わっている。ウィンドランダの場合、ツングリ人（Tungrians　ガリアの一部でベルガエ族の住んでいた今のベルギー地域の住民）やバタヴィア人（Batavians 北海沿岸低地地帯に住んでいたゲルマン系の古代人）を初めとして、発掘された文書の名から、ガリア、ゲルマーニア、パンノニア（Pannonia ヨーロッパ中央部で、今のハンガリー、クロアチア、セルビア北部のヴォイヴォディナ Vojvodina にまたがる地域）、ダキア（現ルーマニア）、ギリシア、アッパー・ライン（Upper Rhine）が出自と推測されている。

ハドリアヌスの長城に設けられた要塞には様々な物資や糧食がドーヴァー海峡を越えて運びこまれた。その物流の主要な玄関口はケントのルトゥピアエ（Rutupiae 現リッチバラ Richborough）、ドゥブリス（Dubris 現ドーヴァー Dover）、ロンディニウムなどの港であった。ルトゥピアエについて言えば、この要塞は港に接しており荷揚げが容易であった。ルトゥピアエから北西へとロンディニウムを経由してウォットリング街道（Watling Street）がデウァ（Deva 現チェスター Chester）まで伸びている。ロンディニウムからはアーミン街道（Ermine Street）がエボラクム（Eboracum 現ヨーク York）まで走っている。

アーミン街道の経路を簡略に言えば、ロンドンのビショップスゲイト（Bishopsgate）を起点に、A10沿いにエンフィールド（Enfield）、ロイストン（Royston）を経てからは、ゴッドマンチェスター（Godmanchester）、スタンフォード（Stamford）、コルスターワース（Colsterworth）、アンカースター（Ancaster）と道を辿ってリンカン（Lincoln）に至る。そこから更に北上してハンバー川（the River Humber）を渡河してヨークに至るというのがこの街道の道筋である。

それより先は、コルストピトゥム即ちコーブリッヂでステインゲイトと交差して、アントニヌスの長城（Antonine Wall）に至るディア街道（Dere Street）が延びている。アントニヌスの長城とはアントニヌス・ピウス（Antoninus Pius 八六〜一六一）が一四二年から十二年の歳月をかけて、東側のフォース湾（Firth of Forth）から西側のクライド湾（Firth of Clyde）まで約六十三キロにわたって建造した塁壁を指す。大雑把に言えば、今のエディンバラからグラスゴーまでの間である。

エボラクムからアントニヌスの長城に至る、今日ではディア街道と呼ばれるこのローマ街道の道筋は、地点で辿ると、ヨークを立った後、A1を行き、次いでB6275に入り、ローマ要塞だったピアースブリッヂ（Piercebridge）に至り、そこでティーズ川（the River Tees）を渡る。次いでビショップ・オークランド（Bishop Auckland）北一・六キロ余りのところにあったローマ要塞ウィノウィウム跡（Vinovium）のところでウェア川（the River Wear）を渡る。その後、ランチェスター（Lanchester）、エブチェスター（Ebchester）を通過する。そしてタイン川を渡るとコーブリッヂ、即ちコルストピトゥムに着き、ステインゲイトに交差する。ここからはA68に入り、その先のポートゲイト（Portgate）でハドリアヌスの長城を越える。そのままA68を道なりに進むとエディンバラに至り、アントニヌスの長城に辿り着く。

ディア街道の本来のローマ名称は失われて不明である。この名称は後のアングロ・サクソンのデアラ王国（Kingdom of Deira）に由来する。とまれ、ロンディニウムであれば直接アーミン街道を北上し、或いはケントのルトゥピアエやドゥブリスであればウォットリング街道を通り、ロンディニウムからアーミン街道に入って北進し、次いでディア街道へと道を繋ぎ、コルストピトゥムでステインゲイトに入って西進する。この道筋は属州ブリタンニア維持の生命線であったことであろう。

ルトゥピアエはこの属州の物流拠点のひとつであると共に、ローマ海軍にとっても重要な拠点であった。ケントの東海岸にあるルトゥピアエは、その北側の海岸にあるレグルビウム（Regulbium 現リカルヴァ Reculver）と共に、四三年にクラウディウスが派兵したローマ軍の上陸地点であった。ここは五九七年ローマの修道僧アウグスティヌス（Augustinus ?～六〇四、初代カンタベリ大司教）が上陸したタネット島（the Isle of Thanet）とはウォントサム海峡（Wantsum Channel）をはさんで向かい側にあり、本土とは殆ど接するようにしてあった小島である。今ではタネット島と同様に、ルトゥピアエ島も本土と陸続きになり、現在の海岸線はルトゥピアエ遺跡から約四キロ先に退いている。しかしその間は湿地が多い。

先のウィンドランダの贅沢な食料品を含め、生活必需品がドゥブリスやロンディニウムと競

ルトゥピアエ遺跡の城壁、ケント州リッチバラ（筆者撮影）

い合うようにして、このルトゥピアエの港から、先述した道筋を通って各地の要塞に届いたのであろう。ウィンドランダの五キロ余り東には、先述のウェルコウィキウム要塞があり、今日ハウスステッヅ・ローマン・フォート（Housesteads Roman Fort）と呼ばれている。高床式の穀物倉の礎石も残っている。この地域で高床式であるのは、穀物が鼠などに食われないようにするためと、湿気を避けるためである。こうした穀物も遠くから馬や牛に引かせて荷車で届けられる。ステインゲイトの東端の要塞でディア街道と交差するコルストピウムは、一大穀物集積地の要塞であった。

ハウスステッヅの門の敷居の石は荷車の車輪に削られ轍（わだち）となって十センチ近く切れ込んでいる。今日ヨーロッパの鉄道の軌間は一四三五ミリが標準になっているが、これは古代ローマの荷車の車輪の幅、その轍の幅が一四三センチだったから、それに倣ったのである。新幹線の軌間もローマの荷車の轍に準じたことになる。思いがけないところにローマの生活の一端が今なお生きている。

四　ゲルマン人の侵入

三百六十余年、ブリタンニアを支配したローマ軍も、ゲルマン民族の大移動を境に大陸の領土の守りに重点を移すために、西ローマ皇帝ホノリウス（Honorius 三八四〜四二三）は四〇九年に軍を最終的に撤収してブリタンニアを放棄した。この五世紀以降はアングル人、サクソン人、ジュート人がブリテン島に住み着くようになってゆく。この新たな侵入者とケルト人との争いがアーサー王伝説を生み出しゆくが、アーサー王の宮廷はカメロット（Camelot）にあった。このカメロットは今日のウィンチェスター（Winchester）だと言われ、ここは元々ウェンタ・ベルガルム（Venta Belgarum）と呼ばれたローマ人が要塞を置いた町、これが今日の町の名の由来となっているのだが、ウィンチェスターを都とするサクソン人の古王国ウェセックス（Wessex）の有名な王は、言わずと知れたアルフレッド大王（Alfred the Great 八四九〜八九九）である。ヴァイキングが最初にブリテン島を襲ったのは、『アングロ・サクソン年代記』（*Anglo-Saxon Chronicle*）によれば、リンディスファーン修

Lindisfarne（筆者撮影）

道院（Lindisfarne Priory）を襲撃した七九三年ということになっている。因みに、ウィンチェスターが初めて襲われたのは、同年代記によれば八六〇年である。

アルフレッド大王は在位中（八七一～八九九年）、ヴァイキング撃退に尽力したが、やっと八七八年の決定戦に勝ち、ヴァイキングと条約を取り交わし、「デーンロー」（Danelaw デーン法）と呼ばれる取り決めをした。イングランドの東部と北部にヴァイキングの居住を許可するもので、この地域をそのままデーンローと呼んだ。

スカンヂナヴィア半島とユトランド半島を居住地とするヴァイキングの略奪と交易が、八〇〇年頃から一〇五〇年頃までの間に著しく増加したのは、フランク王国カロリング朝のシャルルマーニュ（Charlesmagne 七四二～八一四）の死去と関わりがある。大帝は断固とした対決姿勢でこの略奪者達の排除に臨んでいたのだが、その死後はカロリング朝（Carolingian dynasty 七五一～九八七）の衰頽と崩壊で抑えきれなくなってしまったこと、更にはクノール船など、ヴァイキング側における優れた船の開発にあったと言われる。

Lindisfarne Priory（筆者撮影）

五　サットン・フー

さて、コルチェスターから北東方面に、直線距離にして四十キロ足らずの地、サットン・フー（Sutton Hoo “Sutton” は南の町、“Hoo” は高台の意）で、一九三九年に貴重な発見があった。今日一号塚呼ばれる最大の塚から、船が朽ち果てた姿で発掘されたのである。船葬墓である。その土地の所有者E・M・プリティ夫人（Mrs Edith May Pretty 一八八三～一九四二）が夫の死後、考古学者に依頼して一群の塚の発掘をしてもらった結果であった。ヴァイキングが跳梁跋扈し始める約二百年前、そしてローマ軍が去ってからも約二百年後、即ち七世紀のものと推定されている。塚はどこも盗掘に遭っていたが、幸いこの一号塚は賊が掘るところを間違えたため、盗掘の被害を免れた。

Sutton Hoo 船葬墓（筆者撮影）

ところで、英国には八世紀初頭に成立したと見なされている叙事詩『ベーオウルフ』（*Beowulf*）があるが、この説話はアングル人が英国にもたらしたもので、物語それ自体はスカンヂナヴィア人に関するものである。この叙事詩の「序詩」にはデーン人の王シュルドの船葬が荘厳に語ら

ヴァイキング船を再現し、1949年にデンマークからここケント州のEbbsfleetまで実験航海し、そのまま陸に揚げられて展示されている。（筆者撮影）

れている。船は武器、甲冑、刀剣、胴鎧で飾られた上に、数々の財宝が積み込まれ、帆柱の脇に安置した王の胸にはあまたの宝物が載せられ、王の頭上には王権の象徴である金糸の幟が立てられて、海原へと送り出される。この寂寞としながらも厳かな光景は読む者に忘れ難い印象を残す。

この叙事詩に語られるように、北欧の社会では、ヴァイキング時代（八〇〇～一〇五〇年）よりも前から要人の遺骸は船に乗せ、火を放って送る風習があった。サットン・フーは、ディーバン川（the River Deben）の河口から十五キロ程上流の左岸の岡の上に位置する。全長約二十七メートルの、四十人の漕ぎ手を収容するその船は、その川から岡の上へと引き揚げられたのである。ヴァイキング時代の船も漕ぎ手の数は普通四十人ほどで、航行困難な場合はかなりの距離でも、丸太を転にしたり、漕ぎ手達が担いだりして船を移動したものである。サットン・フーの岡に船を運ぶこと位、いともたやすいことであったであろう。

サットン・フーの最初に発掘された一号塚の船の中央部の船底に、遺骸は安置されていたが、酸性土壌のためか骨さえも溶けてしまったようで、遺骸の痕跡は失われていたが、埋葬者の身の回りの品々が残っていた。即ち、兜、楯、斧、剣、槍、鎖帷子、銀器、角の杯、大鍋、桶、ビュザンティオン（Byzantion）の鉢と匙、ビーバーの革袋に入れた竪琴、衣服、靴等々である。

船葬と副葬品は埋葬者とその住民の出自がスカンヂナヴィア系であることを示している。先に挙げたデーンローを初めとして、イギリスの各地には、ヴァイキングの町であることを示す-wickや-wichの語尾を持つ地名が多くあり、殊にヴァイキング時代にスカンヂナヴィア人があまた植民していたことは、何ら珍しいことではなく、周知のことである。しかし極めて適応力に優れ、植民しても瞬く間に現地に融け込んでいったスカンヂナヴィア人が、サットン・フーにおいて船葬という形でその文化を明確に示したことは極めて珍しい事例であり、それは見る者に驚きの目を瞠らせる。

Sutton Hoo 一号塚から発掘の兜、大英博物館（筆者撮影）

例えば、ヨークもローマ人が去った後、九世紀末、デンマークのヴァイキングが住み着いた町である。彼らはその町をヨールヴィーク（Jorvik）と呼び、それが今日のヨークの名の由来である。その遺跡が一九七六年から八一年にかけて発掘調査され、出土したおびただしい遺物を資料に供して、今日「ジョーヴィック・ヴァイキング・センター」（Jorvic

Viking Centre）として公開され当時の生活の様子が再現されて、つぶさにその生活振りを見ることができることは、貴重な体験である。しかし船葬墓のようなものはない。
　ヨールヴィークとは違って、サットン・フーの遺物はスカンヂナヴィア人の遙かな活動の広さを暗示してくれる。船葬墓という英国では極めて異例の遺跡から出た兜は、優れて奇異な美しさを見せる遺物で、現在大英博物館に展示されているが、この兜の様式はスウェーデンのヴェンデルやヴァルスヤーデで出土したものと同系統のものであり、サットン・フーとスカンヂナヴィアの繋がりの深さを、船葬墓と共に示している。これにもましてビュザンティオンの鉢や匙が一層興味を呼び起こす。更に匙にはビュザンティオンの公用語であったギリシア文字が刻まれている。これはビュザンティオンとの交易の證しである。

六　ヴァイキングとヴァレーグ

ヴァイキング時代のヴァイキングの最終目的地はコンスタンチノポリス（Constantinopolis）であった。その航路は二つあった。ひとつはフランス西海岸、イベリア半島沿いに進んでジブラルタル海峡を抜け、地中海を渡って帝都に辿り着く航路であり、今ひとつは、現在のラトビアのリガ湾（the Gulf of Riga）の奥から西ドビナ川を遡り、いくつものロシアの川や湖沼を縫ってドニエプル川に入り、それを下って黒海に至れば、コンスタンチノポリスはもう一息のところにある。但しこの東方の通路を辿る北欧人はヴァレーグと呼ばれた。同じ民族でも西方に赴く者達はヴァイキングと言い、呼称が違った。

先にヴァイキングは適応力があり、現地にすぐ馴染んだことを述べた。一例を挙げれば、あの有名なノルマンディー公ウィリアム（William, Duke of Normandy 通称 William the Conqueror 一〇二八頃〜一〇八七）は、一〇六六年にブリテン島征服を果たしたが、その先祖、即ち初代ノルマンディー公ロロ（Rollo, the 1st Duke of Normandy 八六〇年頃〜九三〇頃）は、ヴァイキングの首領で、ブリテン島、フランドル、フランスを荒らし回つた末、九一一年にサン・クレール・シュル・エプト条約（The treaty of Saint-Clair-sur-Epte）でノルマンディーをシャルル三世（Charles III 又は Charles the Simple 八七九〜九二九）から封土として得た。ここに入植したヴァイキング達は瞬く間に完全にフランス化した。その結果、ウィリアムが征服したブリテン島にはフランス文化が持込まれ、英国はフランス語が公用語となり、英語は下層民となったアングロ・サクソン人達だけの言葉となった。ヴァイキングの適応力は、皮肉にも約三百年間にわたって英国の公の場から英語が消えるという結果を、副次的に齎らすことになった。

東方航路を行ったヴァレーグも適応力は当然同じことであり、西欧においてヴァイキングがよく傭兵となったように、略奪と交易で金儲けするだけでなく、略奪で見せるその勇猛さを見込まれてコンスタンチノポリスでも傭兵となり、現地に馴染みながら富を蓄積し、帝都との関わりを一層深くした。

ヴァイキング時代にはこうした通路が定期航路化したが、言うまでもなく航路は古くからあり、スカンヂナヴィア人の文化はビュザンティオンから多くの影響を受けている。ヴァイキング時代よりも二百年早いサットン・フーのビュザンティオンの鉢や匙も、東方航路を経て渡ってきたのであろう。

東方航路はこの航路の他に、フィンランド湾の奥からラドガ湖（Lake Ladoga）を経てボルガ川（the Volga）へと水路を辿り、ボルガ川からカスピ海に出て南端のゴルガン（Gorgan）に達する経路もあった。この通路はその過程で中国へと通ずる隊商路と交わっている。そのような繋がりから、中国の仏像がスカンヂナヴィア南端の東側にあるゴトランド島（Gotland）から出土している。

ベルティィル・アルムグレン（Bertil Almgren）という研究者は、六世紀のスカンヂナヴィア人の騎乗の兵士の出立ちと、ヴァイキングのそれとを再現した。前者はスウェーデン南部のヴェンデル（Vendel ウプサラ Uppsala の北に位置）、ヴァルスヤーデ（Valsgärde ヴェンデルとウプサラの中間に位置）、及びイギリスのサットン・フーの出土品から再構成したのである。その結果わかったことは、ヴァイキングの騎兵の軍装は、アジアの騎兵に似ていることだった。このことは、通商路が定期的になったヴァイキング時代に至っては一層多く、東方航路から中央アジアの有益な物を積極的に取入れていることを示している。

ヴァイキングの騎乗というと、違和感を覚えるかもしれないので、一言付け加えておけば、ヴァイキングは船だけを用いたのではない。船には甲板がないが、馬を船底に寝かせて綱で縛って連れて行った。川の中洲などに船を係留して基地とし、そこから馬で町や村を襲って略奪し、その後は家々に火を放って、追手の追跡を阻んだのである。馬が機動力となった。

サットン・フーの船葬墓と遺品は、コンスタンチノポリスのみならず、アジアとも更に深い繋がりを結んでいったスカンヂナヴィア人のその後の活潑な活動の曙をのぞかせているとともに、アジアへの足掛かりさえ髣髴させるものを含んでいる。そもそも騎乗自体、遊牧民の生活形態の文化的一面であって、北欧人のそれではなかった。

ブリタンニアはローマ人にとって気候も土壌も良いとは言えぬ辺境の地にすぎず、それ故に本国の危機に際しては惜しげもなく捨て去ったが、命はなほも土に層を重ねて、薄ら日の中をさまよひ歩く異国の者にさえ、あまたの地霊の聲が呼びかけ、或いはふと行き会う人の目から往き去った人が語りかけてくる。

参考文献

Brenda Williams, *The Romans in Britain* (Andover, Hampshire: Jarrold Publishing, 2004).

Mike Ibeji, *Vindolanda* at the BBC website (www.bbc.co.uk/history/acient/romans/vindolanda_01.shtml).

Sutton Hoo, edited by the National Trust (London: the National Trust, 2005).

レジス・ボワイエ著『ヴァイキングの暮らしと文化』、熊野聰監修、持田智子訳、白水社、平成十三年

X　英国の日本趣味

フランスのジャポニスムと殆ど時を違えずに始まったイギリスの日本趣味について知る人はそれほど多くはないかもしれない。ヨーロッパの日本趣味は大体一九二〇年頃までに終熄したと言われるが、しかし英国が日本文化を日常生活に地道に取り込んで今日に及んでいるのはヨーロッパ随一ではあるまいか。

イギリスで早くも十八世紀半ばには、柿右衛門や伊万里の形状と図柄をそっくりまねた磁器が作られている。一八五四年にはロンドンで初めて日本美術工藝品の展覧会が開かれたが、まだ報道界の関心はさほどではなかった。しかし一八六二年の第二回ロンドン万博は劃期的な変化をもたらした。万博閉会後、展示された日本の美術工藝品は、到着が遅れて展示に間に合わなかった物を含め、売却されもした。詩人・画家のダンテ・G・ロセッティが日本の磁器や衝立を買ったのもこの時であった。その弟ウィリアム・M・ロセッティも兄に勝るとも劣らぬ日本美術愛好家で、日本美術の卓越性をイギリスに広く知らしめた。ウィリアムはこの万博が終わって一年後、それ自体で独立していて単に装飾を目的するものではない日本の工藝美術は、「様々な点において、今日世界のどこの国においてであれ、その国の藝術の最上級に位することは間違いない」（"Japanese Woodcuts. *An Illustrated Story-Book brought from Japan*," October, 1863, *The Reader*）と、その美に折り紙を付けた。

日本の美術工藝品を売却処分したファーマー＆ロヂャース商会（Messrs Farmer and Rogers）の社員リバティは（Arthur Lasenby Liberty 一八四三〜一九一七）、一八七五年にはロンドンのリージェント・ストリートに自分の店を構え、日本の美術工藝品を販売した。普通の百貨店となって今もそこに残る「リバティーズ」（Liberty's）がそれである。日本人の好みにも合う図柄を描いて今も売れているウィリアム・モリスもこの店の顧客であった。

今私の滞在するケンブリッヂでも、例えばクィーンズ学寮の新しいライアインコートの建物や、真新しい尖端的研究施設の集中するウェスト・ケンブリッヂの幾棟かの建物の様式は、日本の入母屋造りを借用している。私が登録している医院の玄関の庇も日本様式である。英国はなおも日本の様式を適宜取り入れ、時折生活に簡素な美しさを見せている。

XI　もう一人のペイタリアン

——川村二郎氏

川村二郎氏は昭和十九年、旧制第八高等学校一年生の時に、古本屋で國民文庫刊行會の『享樂主義者マリウス』を見つけたのが、工藤好美訳のペイターとの最初の出会いであった。それ以来、「一貫してペイターの信徒だった」(『白夜の廻廊』「あとがき」)と、川村氏は言う。それ以前に佐久間政一訳の『ルネサンス』や田部重治訳の『ペイター論集』は読んではいたものの、工藤訳によって、「古風な格調を保ちつつしかもしなやかな、微妙な陰翳に富んだ日本語」(同上「ペイターの導き」)に移されたペイター藝術の仄暗い森に分け入り、初めてその神髄に触れることが出来たという。

川村氏は、精緻かつ柔軟な思考と感覚に支えられたペイター藝術を通して初めて、「批評という仕事にいかなる情熱が凝集せしめられ、その凝集がいかに密度の濃い言語表現を織り上げるか」(同上)という概念を獲得した。

川村氏がペイターに深い導きを得ることになったのは、藝術としての批評を確立したペイターやその文体に深い感銘を覚えたということのみならず、ペイターの生の考え方に共鳴し、亦昭和十九年から二十年にかけての、当時十六、七歳の川村氏を取り巻く時代環境がその共鳴を一層強く増幅したからでもあった。

ペイターの『ルネサンス』は一八七三年に世に出た当初からあまたの青年に、スウィンバーンの言葉を流用すれば、謂わば「精神と感覚の黄金の書、美の聖典」として、深甚な影響を及ぼしてきたが、川村氏はその書の「結語」に見出だした次の一節に、「生々しい衝撃を心に受けた」のであった。

ヴィクトル・ユゴーの言うように、私達は皆受刑者である。皆死刑宣告を受けていながら期日未定のまま死刑執行が延期されているだけのこと。私達には時の合間が与えられているが、やがて私達の居場所はなくなるのである。

川村氏にとって何が衝撃的かと言って、いづれは死んでいかねばならない人間が、「死刑囚」になぞらえていることだった。「この露骨な表現を、昭和十九年から二十年にかけての日々に目にした少年にとって、それは単なる比喩ではあり得ず、まさしく現実そのものの即物的な把握だとしか思われなかった」（同上）と、川村氏は述懐している。

ペイターはこの死刑囚としての生の認識を持ち続け、死の恐れに苛まれながら、ギリシア人が自己を一個の藝術品に仕立て上げようとしたように、生活そのものを、その生活意識において、藝術化しようとした。川村氏はペイターのそうした生き方に惹かれたようである。氏はこう言っている、「今、ここでその中〔筆者註・死刑囚の恐怖〕に捕らえられている現実とは全く異種の世界の、文字通りこの世のものとは思われぬ芸術と文学のあえかな華やぎが、なまなましい生の衝撃からはるかに遠ざかった、静かな内密な文章を通じて啓示されると思ったからこそ、彼〔筆者註・少年の川村氏〕はひたすらその中に慰藉を求めたのである」（同上）。死と隣り合わせの日常生活とは対極にあったペイターの世界に籠もったことを、川村氏は「居直りといえば居直りである」が、「ほかでもないペイターが、居直りへと追いこまれた心の支えとなった」（同上）と、披瀝している。

戦時下という、川村氏にとって抑圧的な不条理が支配する時代においては、「抑圧が強ければ強いだけ、その下でひそかに夢みる夢は、どれほど放恣でもお構いなかろうという気分を誘いだした」（同上）と言う。ここに私達は、「死の意識と美の欲求、死の意識によって昂ぶる美の意識」（“Aesthetic Poetry”）と言うペイターの言葉をそのまま見る思いがする。

抑圧的な不条理が支配したと川村氏が言う時代に奇しくも工藤訳のペイターに出会い、一貫したペイター信徒となった川村氏の批評藝術にペイターの反映がないはずがない。事実、この批評家は、『マリウス』の第二章にマリウスの住まいとして出てくる「白夜（はくや）」という言葉に出会って以来、その言葉が心に染みついて離れないと言う。

ペイターはその白夜の里について、「白夜とは……なべて空白の忘却ではなく、半ば眠りに鎖されながらも絶えず夢見ている夜であろう。されば、確かにその場所はその風変わりな名前に背くものではなく、そこでは白日夢でさえも些事ならぬものと、その場所を前にして人が納得するものがあった」と、書いている。即ち、白夜の里は、かつてマリウスとその一族が代々生活を営んできた所であり、その記憶が染みついている土地であるが故に、一族最後の人となったマリウスが地上から消え去った後でも、土地の有為の名残はそこはかとない霊となって漂い続け、行く末に人はその土地の記憶を忘れ去ることはない。その意味でこの名はこの場所に似つかわしいということなのである。ペイターにとって、白は絶対的な無ではなく、記憶の何かが生きてまどろんでいる状態を表す象徴的な色であった。それ故にペイターは、「白いものの神秘」は「常に追想——現実の事物の写し乃至は代理であって、それ自体は半ば現実、即ち半ば物質であるにすぎない」（*Marius*, "White-nights"）と言っているのである。人が長年住みついた場所にはその土地特有の雰囲気が醸し出される。ペイターは自然物と人の生活との結びつきの深さを「ワーヅワス」論で詳細に取り扱っている。土地の霊、言い換えればゲニウス・ロキ（genius roci）に、ペイターはことのほか強い執心を寄せている。『マリウス』における白夜の里は、このゲニウス・ロキの観念を象徴的に描写しているものである。

人間の記憶と絡み合った土地への関心は、川村氏とペイターとを非常に近い関係にしている。

名古屋生まれのこの批評家は四歳の時に静岡から東京に引越したが、小学校に入ってから「世田谷九品仏を初め、池上本門寺、矢口の渡し、高尾山など、主として東京南郊西郊の名所を巡り、また家の近くの洗足池の不思議に親しみ、土地に滲みついた遠い過去のしるしに心をひかれて行った」（『日本廻国記　一宮巡歴』、「年譜」）と、振り返っている。この「土地に滲みついた遠い過去のしるし」への関心が、ペイターと軌を一にして、川村藝術のひとつの大きな特徴をなしていることは確かであろう。一昨年（平成十五年）十月に出た『イロニアの大和』（講談社）も、まさにそういうところから生まれてきた批評藝術であった。

昭和二十年、終戦直後、保田與重郎（明治四十三年［一九一〇］～昭和五十六年［一九八一］）の『後鳥羽院』に深い感銘を覚え、終戦に至るまでのその著者の作品を買い求めた上で、保田與重郎を筋にして、川村氏は保田の生まれ育ち、誇りとした大和という風土に深い関心を寄せ、「至高の存在が地上で無に帰する瞬間を、深い哀しみをこめて眺める」（『イロニアの大和』「十二　イロニー」）視線をイロニーとする立場から、大和の歴史が生み出した土地の霊を尋ね、そのあえかな幻影を白々（しろじろ）と浮かび上がらせてみせる。しかもこの白々という印象は、まさに川村氏の文体が生み出す藝術的特質なのである。氏の文体は澹々としていながら精緻な肌理の細やかさを見せる。その細やかさを通して、精妙で飛躍的な読みを展開し、対象の深層へ切り込んでゆく。芯の強い批評精神に支えられた思考の柔軟性が、この批評家の文体に淡々（あわあわ）しい清らかさをもたらしている。川村氏とペイターは、人に対する親密にして澹々とした、幽明の境にあってこそ強まるような親和力において繋がりあっているように思われる。

住まいに潜む霊、或いは人間の記憶にまつわる土地の霊という、無であって無ではない、死であって死ではないものを、ペイターは白として象徴的に用いた。川村二郎氏はその白の観念を引き継いで、風土にまどろむ歴史の幻影を、単純にして豊かで奥深いその姿のままに、白々と輝かせてみせる。

＊川村二郎氏は昭和三年生まれ、平成二十年没、文藝評論家。東京大学では、初め英文学を考えたが、終戦後の英語ばやりに対する反撥と、保田與重郎への深い傾倒から独文学を専攻した。平成三年東京都立大学を定年退官。

＊昭和四十四年、処女作『限界の文学』で第一回亀井勝一郎賞受賞。代表作に『銀河と地獄――幻想文学論』（芸術選奨）、『内田百閒論――無意味の涙』（読売文学賞）、『アレゴリーの織物』（伊藤整文学賞）。ペイターについては『白夜の廻廊』の中でよく語られている。

XII 流れ

世田谷文学館、「没後二十年西脇順三郎展」に寄せて

西脇順三郎が子供の頃水遊びした小千谷の茶郷川、川縁の左手に生家があった。（筆者撮影）

子供時代の順三郎の心に一番深く刻み込まれた印象のひとつは川である。家のそばを遊び場だった幅三間ほどの小川が流れ、片や信濃川は小千谷を潤していた。流動の観念が否応なく植えつけられたことは想像に難くない。海という言葉は散見されても詩の実質を担わされることはなく、野とそこを流れる川の心象が存在の実体を映す鏡となっている。

詩人は武蔵野をめぐり多摩川を歩いた。歩くことは思考の流れに身をゆだねることであり、もの思いこそ「最大の実在」であったからである。垂れた木の枝もその曲がりも、草の色或いは岩の崩れや欠けた茶碗も、すべて永劫の流れを断

ち切った須臾（しゅゆ）の断面であり、一見静止の形や色と見えても、内側に流動を漲らせた継続する現在の象徴なのである。「あらゆる藝術はたえず音楽の状態に憧れる」と言ったペイターに倣って描く詩人の氷った形象は、その流れの意識によって、耳には聞こえぬ軽やかで懐かしい音楽を響かせてくる。

XIII　ペイターの受容

武田勝彦氏によれば、日本にペイターの著作が伝わった最も古い記録は、旧上野図書館に『ルネサンス』第三版が納入された明治二十二年〔一八八九〕六月一日であるという。爾来百三十余年の時を閲した。

福原麟太郎（明治二十七年〔一八九四〕～昭和五十六年〔一九八一〕）は平田禿木（明治六年〔一八七三〕～昭和十八年〔一九四三〕）から直接聞いた話として、最初禿木が上野図書館でペイターを読み、そのことを上田敏（明治七年〔一八七四〕～大正五年〔一九一六〕）に話したら、敏もペイターが非常に好きになったのだと伝えているが、禿木自身はその諸作品に影響が見られても紹介活動には消極的だったので、実質的には日本のペイター研究は、上田敏が明治二十七年〔一八九四〕の『帝國文學』創刊号、第三号、第五号でペイターを紹介して世間に広めた時から始まったと見てよい。ペイターが没した一八九四年に、ペイターは精神として、思想として日本に謂わば転生し、産聲を上げたのである。

ペイターはイギリスではアウトサイダーであったように、日本でも必ずしも広く読者を得た作家ではなかったが、藝術の本質を直に摑み出して見せ、限られた読者を魅了し、深甚かつ決定的な影響を与えた。それはイギリス本国はもとより、日本でもそうであった。そして昭和の時代には工藤好美と西脇順三郎という双璧をなすペイタリアンが輩出した。

西脇は福原麟太郎との対談で、「ぼくはしかし非常なペーテリアンで、おそらくは一番……失言かもしれないけど、おそらく日本で一番ペーターを、禿木よりも、上田敏よりも、本式にペーターを読んで、そこから出発した（中略）。ペーターの全集を読んで、ぼくは文学を覚えた」（『西脇順三郎対談集』）と言っているし、また或る時、「ペイターの『享楽主義者マリウス』は何回も繰返し読んで暗記してしまった」と語ったのを、私は覚えている。確かに西脇はペイターに言及することはあっても、纏まった形ではひとつもペイター論をものしていないが、その直観的把握のありかたの継承においてペイターが西脇藝術の魂となっていることを見抜けば、尊大に思えそうなこれらの言葉もあながち己を買いかぶったものではないことが理解できるはずである。

文学研究はつねにその意義と目的を明確にしておかなければ、それは作品を単に出しに使った不毛の議論に終始してしまう。綿密な実證的研究によって貴重な知識を提供して、我々の視野の拡大に貢献することが文学研究の重要な役割である一方で、それは窮極的には、分析的な洞察と直観とによって作品の生命の様々な局面を照らし出し、藝術家や藝術に携わる者に藝術制作上の暗示やきっかけを与えて文化の創造に寄与するものでなくてはならない。そこから離れて、研究そのものが藝術の域に達している場合を除き、それがそれ自身だけで独立的価値を持つことはない。文学研究には作家・詩人と同じ、「文学とは何か」という永遠の問いかけが動機としてなくてはならない。その意味では工藤好美のペイター研究は大きな功績を残している。

実際、工藤のワイルド論や水際立った確かな文体を持つ彫心鏤骨のペイターの翻訳を通して、工藤が三島文学に及ぼした影響は見逃し難いものがある。或いは亦、作家中村真一郎（大正七年［一九一八］～平成九年［一九九七］）は、こういう風に書いたら工藤は何と言うだろうとふとためらい、小説を書き進める筆が止まることがあると、工藤本人に語ったということは、筆者は工藤から直接聞いている。工藤の文学研究は知識の提供もさることながら、藝術の魂を伝えてくるという点ではたぐい稀なものである。スコラ＝アーティスト（scholar-artist）としてのペイターの衣鉢を継ぐ者と言える。

かつては相性が悪くても日本ペイター協会に名を連ねた工藤好美も西脇順三郎も今では泉下の客となった。ふたりの耆宿（きしゅく）はペイターの受容と日本の文化への寄与のひとつの重要なあり方を示した。

ペイターはラテン系でもケルト系でもなく、まがう方なきゲルマン系の気質を示している。ゲルマン人の特質は象徴思考に由来する空想的自然観、渾沌とした表現形態、時間的連続性の等閑、色彩感覚の薄弱性、静慮を好まぬ行動偏重、生活における打算と策略等にあり、およそ日本人の民族性とは対蹠的位置にある。それだけにそのゲルマン系の文学者から何を受容し得るかということは、ペイター藝術を考える上で、その要となるところである。ペイターの文学はゲルマン的象徴思考とギリシア的合理思考との融合の上に成り立っているところに、限られた人々を惹きつける美質が潜んでいる。このギリシア的要素がペイター藝術の生命線なのである。ゲルマン的空想は、ペイターの気質を通して初めて、ギリシア的な調和的拮抗、理智的秩序により、思考の深まりの裡に神秘的な美に変貌したのである。

工藤は、共感と親密性のうちに語句が縷々連鎖する息の長い、しかも独立性の高い文が、更に次の文に接続してゆく生命的連続性をもつペイターの盤根錯節した文章を解きほぐして、古典的な和歌のせせらぎ流れるような文体に組み直した。そこに工藤独自の独創的な文体が現出した。それのみならず、単に現代日本語の組み直しをしたのではなく、古典的日本語の言霊を現代日本語に吹き込み新たな文体を生み出したということに思いを致すとき、工藤の文体がペイター文学を通して二重の独創性を獲得し新たな日本語の発展に寄与したことは認められねばならない。

西脇順三郎については、「ペイターの考え方を持っていると大陸的なシンボリズムへでも何でもすぐ入ることができる」（『西脇順三郎対談集』「輪のある世界」）と言う順三郎の発言からして、ペイターの一面にある象徴主義に倣い、その手法も用いているが、窮極的には「純粋に眼の宗教」（「詩と眼の世界」）を求め、「『無』を象徴し得る有限の象徴を作ること」（「OBSCURO」）が最終目的である。象徴という言葉は使ってはいるが、それは最早西欧における象徴の意味は失われている。実際には「シンボリズムの消滅——無とか空虚」(「詩の幽玄」)の禅による詩的境地に達するのが、順三郎の理想であった。この無の詩的境地も、順三郎がペイターの著作物を通して同化吸収していった仏教思想に近いエピクーロス哲学をくぐり抜け、仏教思想に回帰していった果てにあるものであった。されば順三郎に見受けられる象徴主義も、それを否定した無の詩論も、ペイター文学を遍歴した結果だと言ってよい。

ペイターは遠心力と求心力との調和を理想としたが、ヨーロッパの文化が世界に膨張して、ヨーロッパがヨーロッパであることを失いかけた十九世紀にあって、ペイターは実質的には求心力の必要性を説いて、自己の自己たる所以を探り、如実知見を通して事の本質を見極めようと努めた。それ故にこそ、イギリスにおいてペイターほど藝術に接する基本的態度を明確に身を以て実践した文学者も稀である。工藤も西脇も忠実にそれを継承した文学者であった。ペイターの対象の取扱い方の最も基本となっていることは、対象を自己とは切り離された単なる物質的材料として扱うのではなく、自己を中心とし自己との内面的な関わりの中で対象を捉えて生命的な融合を求めることであり、いのちあるものも物質として扱い、対立と分断をことととする還元主義を否定する立場であった。ペイターを読む者もこの基本的な態度を見失う時、ペイター読みのペイター知らずにならざるを得ないであろう。

XIV　西脇順三郎におけるワイルド

文学上、西脇順三郎はペイターを師としたが、反転したペイター藝術を開いて見せたのは、ワイルドだった。ワイルド藝術はペイターの藝術論を極端に推し進めていったところにある。即ち非人間化であり、アンチセンチメンタリズムであり、即物的な物質主義である。この方法によってワイルドは社会の通俗性に対する痛烈な諷刺を含んだ、ペイターとはまた別様の唯美的藝術を発展させたが、その逆説的展開の手法は、順三郎にとってこの詩人なりのモダニズムの展開に少なからぬ力となった。感情の吐露を嫌う順三郎にとって、ワイルドのこの主知主義が自身の意向に叶った形式を生み出すのに有用なものに思われたことは、想像するに難くない。ワイルドの非人間化は、ペイターのヒューマニズムを極端に推し進めていったところに出現するひとつの逆説であるが、その第一の特徴が物質化だったのである。

ワイルドの物質化は内容より形態を優先し、判断の停止によって出来る限り意味と感情を隠すことによってなされている。表現対象は思想感情というより、寧ろそれらを反映した形態そのものだった。内容は一種の言葉遊びとなり、表現された思想・感情は虚無に還元される。ワイルドは自己を形態に託し、そこにリアリティを認めていた。判断の停止によって表現対象が特殊な係累から解放されても、形態だけは自己の最終的な拠り所であり、それでいて主観性を脱却して純粋な形で立ち現れる。それが藝術における虚構性である。ここにおいて自己は他者となる。自己でありながら他者であるであるという仮面としての藝術が実現される。虚構であると同時に現実であるという仮面としての藝術が開かれる。虚構であると同時に現実であるという境界性を本質とする仮面は、専ら形に関わる物質主義を仲立ちとしつつ、自我を抑えて形の有様に自己を託した藝術形態であった。

一方、順三郎は人間の存在の根柢にあり、人の意識の彼方にある何ものかの幻影のゆらめきを、人類共通の感覚を介することによって感受し、矚目の事物の上に反映させようとした。その幻影のゆらめき即ち人類の魂のたゆたいこそ、順三郎にとって詩であり現実であった。この詩的現実の虚構性ゆえに順三郎はリアリズムのもつ息苦しさ、自然の模倣に由来する卑俗性を脱して軽みに至らんとした。

幻影のゆらめき立つ直前の段階において、心を白紙の状態に置き、「ただ視覚から、純粋に受ける非常に抽象的な感覚だけを受けていること」（『梨の女』）という、物をあるがままに物として受けとめるその物質主義を通して、順三郎は藝術の抽象化を図ったが、手法は異なるにしても、ワイルドの目論見も藝術の抽象化にあったことは明白である。ワイルドの場合は内容の無意味化と装飾性の強調、模倣の拒否などを通して、藝術の霊性化を図った。「幻影は最高な現実」（『近代の寓話』「道路」）と言った順三郎と、「藝術を最高の現実として扱った」（*De Profundis*）ワイルドとの間に、対象の取扱いにおいてどれほどの逕庭があるだろうか。両者とも有機体論に基づく物質主義によって却ってそれに伴う卑俗性を排し、表現の霊性を高めることに貢献した。

この両者の虚実の反転を支える物質主義の展開の仕方に違いがあるのも、また事実である。ワイルドの物質主義は、「自然を人間の外側にある現象の集積と見な」（"Decay of Lying"）したところに立てられている。宇宙を人間をもその一部とする有機体と見ながら、同時にそれを自我の眼前に立つ客観的対象として扱うギリシア的な手法を取っているのである。対象としての自然に人間の恣意的な思い入れを持ち込むことを拒み、いかなる意味でも自然をその背後に隠されているものの象徴とは捉えなかったのである。ゲルマン的象徴思考や中世主義的な物の見方とは対蹠的位置にワイルドは身を置いた。自我を立てながらも、エピクーロスのように、自己をあるがままに自然を映す鏡となした。ワイルドと自然との関係は、自我半ば、受容性半ばの相拮抗する形を取った。

これに対して順三郎の物質主義は、「詩はどう人生を考えないふりをするかということである」（「考えをかくすもの」）という順三郎の根幹的な詩論を支えているものであり、現実の部分的な破壊によって出来た自然の新たな生面に自我を融合同化して己を無に帰せしめる手立てであった。

その詩論には、「一切の思いを捨てて、この上なく正しい目ざめに心をおこさなければならない。かたちにとらわれた心をおこしてはならない」（中村元・紀野一義訳注『般若心経・金剛般若経』）という、『金剛般若経』に説かれているような仏教思想が染みこんでいるのである。

ワイルドは自我を中心に据えて、自然を対象化したところに生じる自我と自然との拮抗調和を求めた。これは一見ギリシア的自然観に立つように見えるが、ギリシア人は自我を立てると同時に、人間の存在を自然の有機的組織の一部として見る認識があった。しかしワイルドには自我を一層前面に押し出しすぎた嫌いがある。それがギリシア的合理思考とは相容れないゲルマン的象徴思考とヘブライズムに基盤を置くとともに、十九世紀特有の時代思潮にどっぷり漬かったアングロ・サクソンの社会と対峙した時、ワイルド藝術は社会的緊張を生みはしても、拮抗調和は所詮無理なことであった。

自我は出せば出すほどに、己の見ている対象は姿を隠し、法爾自然、あるがままの全体像を見せなくなる。世界は自分の態度次第でその姿を変える変幻自在の鏡であることは、『ドリアン・グレイの肖像』の中でも示されている通りである。近世来の機械論的物質主義の流布する社会において自我に埋没した人生の虚妄性を衝き、それを呵々大笑して笑い飛ばすのに、ワイルドほど辛辣な逆説的藝術もないが、亦ワイルド自身がその逆説から逃れられないでいる。

これに対して順三郎の場合、「人生を考えない」ようにするために、自己を忘れることによって、自然から自己を知ろうとした。道元は言った、「佛道をならふといふは、自己をならふ也。

自己をならふといふは、自己をわするるなり。自己をわするるといふは、萬法に證せらるるなり。萬法に證せらるるといふは、自己の身心および他己の身心をして脱落せしむるなり」（「現成公案」）と。順三郎は自我を自然に託して自己を捨てようとした。万象の本質を関係性即ち空と捉え、自我を去って事物の新しい関係の中にそれを反映させようとした。しかしなおも象徴主義の名残はとどめてはいる。さはれ自我の固執によって世界を狭めたり歪めたりすることなく、囚われない観察と判断が可能であることを示唆している。ワイルドがギリシアの有機体論的物質主義と自我の主張によって、現実の虚妄性を再認識させてくれたとすれば、順三郎は仏教の有機体論的物質主義を通して自我滅却を図ることによって、現実に潜む虚妄から脱却する術を暗示している。

第二章　読書随感

I

俯瞰的相対主義の批評精神

沓掛良彦著『ギリシアの抒情詩人たち　竪琴の音にあわせ』
（京都大学学術出版会刊、平成三十年二月）

沓掛良彦氏は元々ロシア文学を学んでいたが、途中、地中海世界、殊にギリシア文学へと大きく舵を切った奇特な文学者である。その大きな方向転換は、西脇順三郎の詩との出合いが決定的な力となったと聞いている。西脇順三郎はギリシア・ローマの古典、ヨーロッパ文学、日本の古典、漢詩に幅広く通暁し、古今東西の文学を相対的に見る批評眼を具えていた。本書も西洋古典文学、ヨーロッパ文学、日本古典文学、及び中国古典詩等の古今東西の文学的知識の蘊蓄を傾けた労作であるが、それにもまして、それらの知識を己自身の詩学として血肉と化していることで、世界文学を俯瞰的視野で相対的に見るその批評眼は、余人の追随を許さぬものがある。

沓掛氏の仕事でギリシア関聯の主なものを一部だけ挙げれば、『サッフォー　詩と生涯』（昭和六十三年）、『黄金の竪琴』（平成二十七年）、『ギリシア詞華集』全四巻（平成二十七～二十九年）などがある。キリスト教に基づくヨーロッパ文学よりも、多神教と有機体論的宇宙観に基づく古代ギリシア文学の方が、よほど日本人読者には身近に感じられるはずにも拘わらず、時代が遠いため、或いは読みやすい手頃な翻訳書が十分に揃っていないためか、日本人読者には馴染みの薄かった古代ギリシア詩を、殊に『サッフォー　詩と生涯』、及びエピグラム詩四千五百篇を全訳した偉業と言うべき『ギリシア詞華集』などにより、日本人読者の手に届きやすいものにした。『ギリシア詞華集』の全訳を終えた翌年平成二十八年正月から秋にかけて、五四五頁に及ぶ浩瀚な『ギリシア抒情詩人たち』は一気呵成に書き上げられた。『ギリシア詞華集』全訳の大業の余勢を駆って、その翻訳の仕事のさなかに沸き起こり脳裡を駆けめぐったギリシア詩についての考えを、その熱が冷めぬうちに文字の形に表出したものであろう。その意味では訳業がもたらした副産物のようにも見えるが、副産物という言葉が含む余技的な仕事ではなく、著者畢生の渾身の力を込めた古代ギリシア詩人論の力作で、ギリシア詩人とその詩の精髄をものの見事にわかりやすい表現で抉り出している。著者は対象の外面を単に撫で回しているのではなく、対象の懐に潜り込み、対象と親しく内面的対話をしたところから、対象の何たるかを引き出してきている。幅広く諸外国の研究を批判吟味しながら参考にしていることでも、その客観性は保障されている。

この批評精神により、沓掛氏は遙か遠い時代の個々の詩人達の全体像を、極めて明確な輪廓線を以て描き出しながら、ギリシア詩全体の流れを系統的且つ的確に纏め上げている。即ち、本書においてギリシア詩の流れという全体と、個々の詩人という部分とが巧みに融合された形で、ギリシア詩が一般読者に呈示されているということである。

簡潔でありながら微に入り細を穿った時代背景の描写とともに、人となり、その生涯を語り、自然体で訳された作品を適宜呈示することで、詩人を恰も現に生きている人を語ってみせるかのように、親密な形で描いてみせ、読者にはそれまでは遠い時代に霞んでいた詩人像を、本書においてギリシアの丸彫り彫刻のように全体的な姿を以て、甦らせている。このようなことをなし得たのも、ひとつには、時代背景に関する広範な知識と、ギリシア文学に対する並々ならぬ造詣の深さを背景にして、日本の文化伝統に培われたぶれることのない精神を基軸に据えて、古今東西の詩人達を俯瞰的に比較考量する批評眼が十全に機能しているからに他ならない。

亦ひとつには、著者は対象を単なる材料としてではなく、取り扱う詩人の経験を己のものとする、乃至その経験を追体験しようとすることで、自己と生命的な繋がりを以て対象を扱っていることが挙げられる。沓掛氏の思考空間の有機的世界においては、時代や地理上の隔絶を超えて、対象としている詩人達と直に結びついている。

一方、例えば肌の合わないピンダロスであっても、「詩はあくまでも詩そのものとして、その価値判断」（四三二頁）をすべきものとする極めてギリシア的な、或いは亦日本的と言ってもよい批評精神を仲立ちとして、その詩人に寄り添いながら作品を読み込んでゆく柔軟性がある。それにより、時代の彼方にある詩人達が相対的な関係性において姿を現し、その姿はすこぶる具体性に富み、一般読者には生身の詩人に接するような親近感を覚えさせると言ってもよい。沓掛氏の意識においては古代ギリシアは過去ではなく、生きている現在なのである。

酒に縁の深かったアナクレオーン（Anakreōn 前五八二頃～前四八五頃、テオスの人）を語るにしても、詩と酒とが一体化した詩酒合一の境地から生み出された陶淵明、李白、白楽天らの詩を例に取りつつ、アナクレオーンの詩は純粋な飲酒詩ではなく、恋の情緒が纏いついていることを指摘することで、双方の趣の違いを鮮明にしている。この操作により読者はギリシア詩人を相対的且つ限定的な形で捉えることができる。加えて、古今東西の文学に通暁しているからこそ、東洋の古典を知らぬ欧米の学者がいかに一面観の譏りを免れ得ない評価に終始しているかということについても沓掛氏は指摘している。「ギリシア最高の抒情詩人」だとピンダロスを手放しで絶讃する欧米学者に対して、ピンダロスは「果たしてどれほどの大詩人なのか、論者は東洋の古典詩を知って断定しているのか。杜甫、李白には遠く及ぶまい」（二五六頁）と疑義を呈している。

或いは亦、上代（前八世紀～前五世紀初、アルカイック期）と古典期（前四八〇年第二次ペルシア戦争勝利からアレクサンドロス大王東征開始前三三四年頃まで）の抒情詩がピンダロス（Pindaros 前五二二頃～前四四三頃、テーバイの人）を最後に衰頽して、その後百年ほどの空白を経て、古代ギリシア植民都市キュレーネー（Kyrēnē 現リビア領内）のカリマコス（Kallimachos 前三一〇／〇五～前二四〇頃）に代表されるアレクサンドリア派の黄金時代（前三〇〇年頃～前二六〇年頃）を含むヘレニズム期（アレクサンドロス大王からローマ統一の前二七年まで）のエピグラム詩を中心とする抒情詩においては、ホメーロス（Homēros 前八世紀後半頃）からピンダロスに至る古典を模範として、学殖を以て文学を作る、即ち「文学から文学を創る」時代となった。日本においても、経験に基づく実感や真情を材料とする『萬葉集』とは趣を変えた『新古今集』に代表されるように、本歌取りの技法或いは題詠により、現実の生活経験に拠らずして純粋に言語だけの「人工的な美的虚構」を、藤原定家（應保二年［一一六二］～仁治二年［一二四一］）や式子内親王（久安五年［一一四九］～建仁元年［一二〇一］）を初めとする『新古今』の歌人達は構築した。亦、北宋時代の黄庭堅（こうていけん）（黄山谷、一〇四五～一一〇五）が標榜した「点鉄成金」即ち「鉄を点じて金と成す」、言い換えれば「換骨奪胎」という本歌取りと同様な詩法があることを指摘することも忘れていない。文学から文学を生むギリシアの作詩法がこのようにして、他言語の文明圏の詩法と併置相対化されることで、ギリシア詩の様態がわかりやすくなり、読者に一層親しみやすいものにしている。

かてて加えて、『新古今』が、「芸術的な完成度、純粋な言語芸術としての結晶度、詩的言語の洗練・練磨の度合い」の観点からして、日本の抒情詩の最高度の到達を示しているのみならず、「東西の古典詩全体の中においても、この歌集が最高位に位置付けしうる」（四九五～六頁）ものとし、ギリシア詩と新古今はその藝術性と詩的完成度において、相互によく拮抗し合うという沓掛氏の評価は、ギリシア詩の詩的価値を、その相対的見地により、理解しやすくしている。

ギリシア詩全体の流れを捉えると同時に、その流れの中で個々の詩人の位置と価値を世界文学の見地から見極めた、『ギリシアの抒情詩人たち』における俯瞰的相対主義の批評精神は高く評価されねばならない。

II　書評『修羅と永遠　西川徹郎論集成』

　浩瀚なる『修羅と永遠』は西川論を主体とし、その前後には西川自選句・自選歌集と西川自身の主要な文学論が配置されている。伝記的資料についても、その身近にある斎藤冬海が西川文学の本質を語る過程でその半生や浄土真宗の僧侶としての履歴や業績を巧みに織り込みながら説得力のある西川論を展開し、西川藝術の理解に格好の刊行物となっている。

　この本に接して、〈反季語・反定型・反結社主義〉を標榜する型破りの西川俳句の本質が何であるか、読者の注意は自づとそこに集中してくる。この理念を要諦とする西川俳句は伝統の否定と捉えられやすい。しかしその俳句理念は作品をよく読めば、社会的乃至人為的な縛りを撥無する仏教的世界観から生み出され、生の根源の探求に輻輳していることが理解されるはずである。この理解なくして西川俳句の本質を論じることは覚束ない。

　西川の藝術形態は西欧のモダニズム的な流れにあるように見えるが、必ずしもそうとは言えない。その本質はあくまでも仏教的理念に貫かれている。「自己の気息に随って口語の内在律に即する」形態を持つと西川が切り捨てた種田山頭火（明治十五年［一八八二］〜昭和十五年［一九四〇］）に代表される定型・季題破棄を唱える自由律俳句とも趣を異にする。

　西川は有機的秩序としての万有の根源をその必然的関係性を通して探っている。そのような探求者が反季題を唱えるのも、俳句藝術は本来季題のためにあるのではなく、それはあるとすれば結果としてあるべきものだからである。仏教は古代インド哲学の中でも、自然を通して人間の内面心理を最もよく極めた哲学である。西川は仏者としてそれと同じことをしているに過ぎない。

　肉親をよく主題にした西川にとって、それは己を映す鏡として森羅万象の奥処を探る窓口であった。その根柢として「一切の有情はみなもて世々生々の父母兄弟なり」という親鸞の教えが西川の意識の裡に生きている。西川の生命体としての自然観察はそのまま内面心理の探究に繋がる。それ故に季題のための季題は西川藝術には本質とはなり得ない。

　定型についてはどうか。日本の長い歴史の中で三音、五音、七音という素数的韻律は日本語に最適の韻律として、殊に五音七音は和歌や俳句という定型に発展し、日本民族の魂の結晶となった。三音は西川も気付いているように、山頭火の句に生かされている。西川は五・七・五にこだわらないが、この素数的韻律は基本的に守っている。日本語で思考する限りこの束縛は免れ得ないのである。それ故にこそ西川は「反定型の定型詩」と自らの句を呼ぶ。「一定すみか」としている現世という「地獄」にあって、言葉になり得ない魂の聲を敢えて言葉にしようとした時、五・七・五を逸脱したまでにすぎない。人間の社会的枠組みを超越するのみならず、立松和平が指摘するように、「他界と現世とは交通をくりかえし」て存在の根源を求めて自然界を俯瞰する西川の、過去も未来も現在に収斂する仏教的世界観に基づけば、形式上の変異は懐の深い俳句の伝統に新生面を開くものであった。

西川は俳句の定型に即かず離れずの姿勢を維持している。即ち伝統的俳句を客体として相対化し、それを鏡として己の俳句をそこに映しその屈折の有様を比較考量している。定型俳句を拠り所とすることで初めて西川俳句は生かされてある。ここに思いが至らずに、定型詩＝国家＝天皇制＝権力的本質に対する叛意であると単純に受け取るならば、西川の俳句理念は危険な逆説となり、オスカー・ワイルドの『ドリアン・グレイの肖像』（*The Picture of Dorian Gray*）におけるが如く、己の形態を映し出している定型俳句という鏡を破壊した瞬間に、西川俳句も同時に否定し去られることになるであろう。

西川は己の藝術にそんな政治的イデオロギーを持ち込んでいる訳ではない。「なにものにも囚われることのない根源的な自由」の仏者の目を以て、藝術の虚構としての根源的な形を追求したのである。吉本隆明が、「句作は純化されて嬰児のもつ永遠を、だんだん獲得しつつあるように見える」と西川を評したのは、この点を突いている。

読者の意表を突く物象の取合せの非現実性は虚構の構築を保障し、己を含めた衆生の有機的連鎖をなす自然の本質は無たる幻影の形で提示されている。

男根担ぎ佛壇峠を越えにけり

すべての煩悩の根源たる秘すべき形象と佛壇という取合せは、自然界の生と死の繰返しと、生死一如を暗示する。即ち生死（しょうじ）は仏のいのちなのである。
西川の飛躍と寄合いを基にした物象の理智的な取合せを、軽々にゲルマン的象徴思考に根を持つものでしかないシュールレアリスムの流れと見るのは早計である。西洋藝術の伝統に取合せの妙趣という考え方は基本的にない。西川における説明を拒む取合せの手法は元を辿れば日本の伝統に拠っている。理智的でありながら、生きとし生ける物の悲哀をそれとなくその形態の裏側に潜ませて、俳諧の原点に立ち返っている。本書では就中笠原伸夫の西川論がわかりやすい西川藝術の案内となっている。

（茜屋書店刊、平成二十七年三月十五日、総頁数一一九六頁）

III　マロックを読む

澤井　勇訳『新しい国家』（春風社刊、平成二十四年）

一　ジャウイット

昨年（平成二十四年）九月にW・H・マロック（William Hurrell Mallock 一八四九〜一九二三）の *The New Republic* が『新しい国家』と題して、澤井勇氏により翻訳出版された。ペイター（Walter Pater 一八三九〜九四）に興味のある人なら誰しもこの書物の存在は無視し難いことであったに違いない。ただその傍流的価値から実際に丹念に読み込んでゆく機会を失していた向きは少なくはなかろう。

マロックがベイリオル・コリッヂ（Balliol College）在籍中にものしたこの若書きの多分に衒学的なもぢりにおける揶揄の矛先は、ひとりローズ氏（Mr. Rose）として登場するペイターのみならず、ジェンキンソン博士役を演じるギリシア哲学の泰斗ベンジャミン・ジャウイット（Benjamin Jowett

W. H. Mallock

一八一七〜九三）、リューク先生役のマシュー・アーノルド（Matthew Arnold 一八二二〜八八）にも向けられている。しかし一番こけにされているのはペイターかもしれない。マロックの考えは主人公のロレンス、その友人レズリー、アレン卿、マロックの私淑したラスキン役のハーバート先生を通して窺い知ることができる。因みに澤井氏によるとレズリーとアレン卿の特定のモデルはいないとのことであるが、ジョン・ルーカス（John Lucas）は、前者はマロックのオックスフォードの友人と覚しきW・M・ハーディング（W. H. Hardinge）であり、後者はマロック自身の言葉として第十三代ペンブルック伯爵ジョージ（George, the 13th earl of Pembroke 一八五〇〜九五）だと特定している。

マロックはジャウイットがその学寮長になったばかりのベイリオル学寮に入ったのだが、それまで学校という集団生活を送ったことがなく、それ以前の教育はアーノルドの愛弟子W・B・フィルポット師（W. B. Philpot）の許に送られて、その個人教授に与った。マロックは本来外交官になるべく育てられたが、そういう公的な外向きの仕事は好まず、ベイリオル在学中も大学や学寮関聯の用務には殆ど興味を示さなかった。書くことだけはしたが、勉強も不熱心で生活は流行を追うところがあった。加うるに運動嫌いときていた。

保守的で内向的なマロックは、広教会主義者（広教会派＝Broad Church　十九世紀後半に起こった英国国教会の自由主義的な一派で、儀式や教義に対して寛大な態度を取る）で政治的には自由主義の立場に立つジャウイットが、ベイリオルに入学した時から大嫌いだった。マロックはその自由主義者の一端を、「すべての宗教を、キリスト教そのものをあからさまに否定するものさえも、ほんとうに受け入れるからね」（三三五頁）と、ジェンキンソン博士に言はせて笑いものにしている。ジャウイットはA・C・ベンソン（A. C. Benson）の言うように、日和見主義者ではあるが、「度量の広い見識や思慮深い寛容性」（『ウォルター・ペイター』伊藤勳訳、七十七頁）の持主であった。

この寛容性を拠り所にして、マロックはジェンキンソン博士にキリスト教と科学や進化論との一致調和を語らせる。「宗教におけるわれわれのモットーは、科学の場合と同じように、『真実を知ることは原因をとおして知ること』」（一二三頁）であり、「精神的な面での進化論はキリスト教の理論や科学的理論とよく似て」（一二二頁）おり、キリスト教の「歴史が発展していくための長い葛藤、存在するための葛藤をよろこんで認め、そうした歴史全体のなかで壮大な進化論が働いていたことを理解する」（一二八頁）と、ジェンキンソン博士は演説の中で開陳する。

しかしマロックの思うところは、「科学に触れれば、われわれのもっとも高尚な思想も分解して腐敗し、ついにはわれわれの魂全体が死せる希望と死せる宗教で覆われ」る。魂の上にばらまかれた「われわれが愛したあらゆる思想の残骸」（七十五頁）は、おもむろに崩頽を早めてゆくと、ハーバート先生に語らせるところによく現れている。実際ハーバート先生役として描かれたラスキン像は、ジョン・ルーカスによれば、ラスキン（John Ruskin 一八一九～一九〇〇）も満悦で友人や知人に、マロックは自分を本当によく理解してくれる唯一の男だと語ったという（Introduction, *The New Republic*, p.28）。

二　アーノルド

科学の発展と時代の流れに即したリベラルな思考は、旧来の秩序を墨守しようとするマロックには受容し難いもので、教養という言葉に独自の定義を齎しそれを標榜するアーノルドの自由主義にもマロックは辛辣である。人間の完成を目指す努力としての宗教を、アーノルドは窮極目的において教養と一致するものとした。それのみか、教養は宗教と並んで、藝術、科学、詩歌、哲学、歴史等の人間の経験のありとあらゆる聲を通して、人間の完成を目指すものとし、宗教を教養の一部として相対化してしまった。キリスト教の絶対的優位に固執するマロックには認め難い自由主義思想であったに違いない。

マロックはリューク先生にこう言わせる、「教養とは、宗教でもなく、道徳でもなく、趣味でもなく、知性でもなく、知識でもなく、広範な読書でもなくて、そうしたものが一緒になった結果です」（三一五～六頁）。マロックはアーノルドの宗教の相対化に懐疑的傾向を見ている。「無用な知識を盲目的に崇拝すること」（三一八頁）が一番致命的なことだとリューク先生が言ったことに対して、マートン嬢が、私達が信じていると公言していることを実際本当に信じているのは誰なのかを、私達は一番知りたいのだと、応じる。

因みに澤井氏によれば、このマートン嬢には特定のモデルはいないとのことであるが、ジョン・ルーカスによれば、マロックの母方のいとこで、ニューマン（John Henry Newman 一八〇一～九〇）の友人であつたアイシー・フルード（Isy Froude）がそのモデルである。フルード家はマロックと出身を同じくするデヴォン州の名家である。ヘレン・マロック（Miss Helen Mallock マロックとの血縁関係不詳）と母方のおじウィリアム・フルード（William Floude）の證言によれば、マロックが終生独身で通した理由のひとつに、マロックが本当に好きになった女性が実はアイシーだけであったが、このいとこがマロックを受入れなかったからだと言われる。

モデル探しのことはこれでさておき、先のマートン嬢の発言に対してリューク先生が、「それは、もっとも大切なこと——ほんとうに大切なことです」（三一八頁）と言うと、マーク・パティスン夫人（Mrs. Mark Pattison, better known as Lady Dilke）をモデルにしていると覚しきグレイス夫人が、理想社会では女性も男性と同じく、高い目標と自立した目的を持てることを述べてから、この理想社会を築こうという運動は、「神の下」でこそうまく行くことを語る。これを受けてリューク先生は、人生において教養のある女の人ほどすばらしい飾り物はない、と応じる。

マロックの話の運びは、原文を読んでわかるように往々にして韜晦なところがあり、具体性に乏しく飛躍もしばしばあり、明快さに欠けることがある。先のマートン嬢の言葉も、リューク先生への応じ方としてはその繋がり方が曖昧模糊としているが、その言わんとするところはわかりやすく言えば、神を信ずる振りをしながら、本当は信じていない者は誰なのかを、一番知りたいということなのであろう。そしてマロックは、アーノルドの教養観を女の飾り物程度に貶めた上で、突如としてグレイス夫人をして、「この方は〈神〉を信じていないのよ――というか、信じてないと自分で思っているのよ！　そんなの、どうしてもバチがあたらなくては、と思うわ」（三二九頁）と、言わしめる。

ギリシア的な自由思考を阻むヘブライズムの傾向の強いイギリスにヘレニズムの精神を取り込み、その両者の調和を求めたところにアーノルドの教養観の拠り所があった。ペイターもそれに倣って、遠心的傾向と求心的傾向との調和を理想とした。マロックはアーノルドの教養観にいきなり無神論として鉄槌を下したのである。

マロックはアーノルドの思想を、意図的にしろそうでないにしろ皮相的に捉え、それを歪んだ形で戯画的に描いている。アーノルドが一八七七年五月七日付妻宛の手紙に、「私自身や私の喋っていることはうまく描写できていません」と書き送ったのもうべなるかなの感がする。これに先立ってアーノルドは、「私の詩のもぢりはうまくできていると一般的には思われているようです」と認めているが、そこには自ら積極的にそれを認めている風には見えず、世評をそのまま妻に受け渡しているに過ぎない。

そのアーノルドの詩のもぢりは訳書では八十二頁から八十七頁にかけて掲げられている。原文のその詩を読めばわかるように、詩想が浅く表現は拙さが目立ち素人詩人の域を出るものではない。マロックはフィルポットの許で教育を受けていた時に詩作を始めたが、当代の著名詩人達のまねごとで、殊にアーノルドやスウィンバーン（Algernon Charles Swinburne 一八三七〜一九〇九）をまねたと言われる。そんなまねごと詩人でもマロックは、「スエズ運河地峡」（*The Isthmus of the Suez Canal*）と題した詩で、オックスフォードの学生対象の名誉あるニューディゲート賞（Newdigate Prize）を受賞している。しかしその詩の実際の評価はあまり芳しくないようで、ジョン・ルーカスは「非常にへたくそな詩」と評している。

ニューディゲート賞と言えば、ワイルドも詩『ラヴェンナ』（*Ravenna*）でこの栄誉に浴している。西脇順三郎はこの「ラヴェンナ」について、「オスカーワイルドの機知」（伊藤勲『ペイタリアン西脇順三郎』）の中で、何か歯の浮くような詩で全部が本当によくできた人のまねだと酷評したが、それでも『ラヴェンナ』は均斉がとれ、質の高い詩情の豊かな作品に仕上がっている。

ワイルドは換骨奪胎の巧みな藝術家であったが、マロックはそれほどの才覚はなくまねごと詩人に終わるほかなかった。実際、一八八〇年に『詩集』（*Poems*）を上梓しているが、ジョン・ルーカスによれば、大部分がアーノルドやスウィンバーンのまねだと言う。またマロックは一八七二年にオックスフォードで私家版の『みんな誰でも詩人、或いは霊感を受けた歌人（うたびと）の作法読本』

(*Everyman His Own Poet, or The Inspired Singer's Recipe Book*) を出し、テニスン (Alfred Tennyson 一八〇九〜九二) やブラウニング (Robert Browning 一八一二〜八九)、スウィンバーン、或いはモリス (William Morris 一八三四〜九六) やアーノルド等々の詩のまね方を指南したほどだから、マロックの本分がどこにあるかは自づと明らかである。

『新しい国家』に掲げられたアーノルドの詩のもぢりを原文で読むだけで、マロックの詩の大方の水準がどのあたりにあるかは知れる。マロックは本質的に詩才に恵まれず、独自の文体を生み出すことのできないまねごと詩人としての文藝愛好家にとどまった。『新しい国家』もそうしたマロックの天分が生み出した作品にすぎない。

三　ペイター

(1) ローズ氏と呼ばれてうれしい

強硬な高教会派的な立場（高教会派＝High Church　英国国教会内の一傾向を指して呼ぶ十七世紀以降の俗称で、教会・主教職の権威や支配並びに聖奠を重視する立場）に立つマロックは、リューク先生からしばしば賛同の意を表されたローズ氏の発言やその挙措を、ペイターの唯美主義を著しく歪める形で描いた。イギリスにおける文学と科学的思考との融合同化という難問を成し遂げたペイターの唯美主義が、マロックによってからかいの標的にされたことは、『新しい国家』が俗物精神の持主から受けがよかっただけに、ペイターのみならずイギリスの文化発展にとっても不幸なことであった。

楽天家のトマス・ライト（Thomas Wright 一八五九〜一九三六）はローズ氏としてのペイターが戯画化されたことについて、こう語っている、「ペイターは苦痛を感ずるどころか、それを讃辞として捉え大いに楽しみ、真実に極めて近いことを述べている文章を読んで心底笑った。ペイターが心を悩ましたのは、人がその人物描写を読んでそれをペイターだと感づくからではなく、それを読んでもペイターだと気付かなくなることを恐れたからである。ペイターは或る友人に、『私はローズ氏と呼ばれてうれしい――薔薇は花の女王だからね。うまい冗談ですよ。だけど何年か経つとこの滑稽さも消え失せてしまうでしょう。ローズ氏が誰であるか誰にもわからなくなってしまうのですから」（*The Life of Walter Pater*, Vol. II, pp. 17-18）。

実際にはこれとは裏腹に、『新しい国家』が出ることによってペイターはどれほど不利な立場に追い込まれたことか。ライト或いはエドマンド・ゴス（Edmund Gosse 一八四九〜一九二八）が言うようにペイターは喜んだわけではない。マイケル・レヴィ（Michael Levey）はこう言っている、「（男としては極めて鋭敏と言えるほどの人ではない）ゴスは、ペイターが例えばマロックのもぢりの中でローズ氏になっていることとの評判を非常に喜んでいる、即ちそのことがペイターに、ハックスレーやアーノルドやラスキンのようなもっと有名な人物と肩を並べる地位を与えたのだと思っていた。しかしゴスに対してペイターは、きっと悪意のない冗談を言っているのだと思って、恐らくそれを面白がっている風をして耐えていたのであらう」（*The Case of Walter Pater*, p. 152）。これが真相なのである。さはれ、自分の戯画化が話題になった時、ペイターがにこやかに応じてその話題をいなしていたことが誤解を生み却ってあだとなり、『ルネサンス』の出版をめぐってはジャウイットから飛礫（つぶて）打ちを食らい、「風紀を紊す道学者」という烙印に集約される批判は一層世間に勢いを得ることになった。

ペイターは一八七六年にフランシス・ドイル（Francis Doyle）の後を襲おうと、J・A・シモンズ（John Addington Symonds 一八四〇～九三）と並んでオックスフォードの詩学教授候補に名乗りを上げた。しかしペイターとJ・A・シモンズは「放逸な異教的文化」を代表する者として一括りにされ、さらにセント・アンドリューズ大学（University of St Andrews）のユナイテッド学寮（United College）の学寮長シェープ（John Campbell Shairp 一八一九～八五）がマシュー・アーノルドの支持を得て立候補するに及んで、ペイターは慎重を期して候補を降りざるを得なくなった。「風紀を紊す道学者」の烙印を押された上、マロックの『新しい国家』が折しも一八七六年六月から十二月にかけて『ベルグレイヴィア』（*Belgravia*）に連載中で（因みに、澤井氏はこの連載時期を一八七六年三月から翌年二月までとしているが、筆者は原物を未確認だがマイケル・レヴィ、ジョン・ルーカス及びその他の資料に倣い、上記の期間を採用する）、しかも『新しい国家』は当代の著名人を茶化す世俗的な話題性から早くから広範な注目を集めていたからである。J・A・シモンズもペイターに次いで降り、シェープが詩学教授の地位を得ることになった。

ライトとは対照的にA・C・ベンソンはこの毒を含む『新しい国家』を次のように批判的に

分析している。

作者は恐らく、ローズ氏を描いて審美派の典型を単に茶化しているに過ぎないのだと、正当なる主張をしているのであろう。しかしローズ氏が口にする言葉は明らかにペイターの文体の忠実な茶化しであり、倦怠と放縦の気味が附加されている。諷刺の辛辣さはそれが会話体の鋳型に嵌め込まれることで増大しているので、ペイターを知らない人達は、種々雑多な人々のいる社会での彼の会話は、こうした異国風で気取った仕方でなされ、それは必ずや読み手の心に不快感を及ぼすほど、片や醜悪な、片や感覚的な段階に達していると、結論づけることであろう。ローズ氏に人前で夢見心地で話をさせるのだが、その語り方たるや、因襲的な俗物であるアンブローズ嬢から、ローズ氏はいつも皆のことを、「恰も何も衣服を身につけていないかの如く」語るという評言を引き出してしまう。しかしこれよりももっと不快な面当てがある。そうであれば、ローズ氏がペイターと同一視されるのは、使われている言葉から避けられないことであり、個人に対して示されるべきであった実直な正義を、効果を狙い面白がりたがったがために犠牲にした作者の咎は免れ難い。

（『ウォルター・ペイター』伊藤勳訳、七十五〜七十六頁）

ライトはマロックから受け取った手紙から、「『新しい国家』の中にペイターを空想して描き込むにあたっては、人物よりも寧ろ心の有様を表現するように心がけた」（前掲書 p. 12）という一節を引用しているが、果たしてこのような意図が人としての誠実なものであるかどうか、そしてこの作品がペイターの思想上の心の有様を正確に描いたものと言えるかどうかは、このベンソンの言葉が答えくれている。

（2）放恣放縦

『新しい国家』の舞台である海辺の別荘は、イギリス海峡に面したトーキー（Torquay 現在はトーベイ Torbay に併合）郊外のチェルストン・クロス（Chelston Cross）にあったマロックの母方のおじウィリアム・フルードの家がモデルであるが、そもそもこの別荘に客人が集まり始めた時、ロレンスはレズリーに客人の説明をしながら、ローズ氏を「ラファエロ前派の人」で、「話題といえばわがまま放題と芸術、その二つだ」（三十六頁）と語る。

ラファエロ前派と言えばその旗手たるD・G・ロセッティ（Dante Gabriel Rossetti 一八二八〜八二）を、ロバート・ブキャナン（Robert Buchanan 一八四一〜一九〇一）が一八七一年十月に「肉感詩派」（"The Fleshly School of Poetry"）と題した一文を『現代評論』（*The Contemporary Review*）に掲げ、さらに翌年それを冊子の形に拡大して版行し、ロセッティの詩を激しく批難した。これにはロセッティやスウィンバーンからの反論が出る論争となった。そのほとぼりもさめやらぬ時期に、マロックはペイターを肉慾的な放恣放縦な唯美主義者として本書の冒頭で読者に印象づけた。この方向付けを以てローズ氏としてのペイターは茶化される。

思想感情の本質が外面的な形を取って現れた純粋形態を追求したペイターの高等な唯美主義の趣旨を歪曲して、ローズ氏にこう語らせる、「わたしはむしろ、人生を一つの部屋として見ています。その部屋は、愛する女性や若者の部屋を飾るように飾るのです」（四十八頁）。そしてローズ氏は続けて、人生の成功は「瞬間的な喜びに、わたし自身がはげしい感動をおぼえるところにありますーー海や山のちょっとした色合いとか、バラの深紅の影にやどる朝露とか、澄んだ水の中に輝く女性の脚」（四十八〜四十九頁）と言いかけたところで、「シーッ」といふ制止の聲が上がり、ローズ氏はその露骨で卑猥な発言で顰蹙を買うことになる。

そしてさらにマロックは、ローズ氏に無意識的な時代と意識的な時代とを二人の女性に譬えて語らせる。前者は「その土地の空気と海にあった褐色の四肢をした野生育ちの女性で、いま一人は、大理石のように白く白鳥のような柔肌をして、鏡の前のクッションに優雅に身を横たえて、鏡の奥にちらちら映るわが身のしなやかな姿を見つめている女性です」（二八〇頁）。

現代と違い、女性の四肢を話題に上せることは卑猥なこととされ、時代の淫靡な上品ぶりが故にピアノの脚にまで布を纏わせたヴィクトリア朝社会において、ローズ氏の一連の発言は猥褻の批難に値するものである。そしてこの発言の直後、アンブローズ嬢に「この方は誰のことを言うにも、まるでその人が着物を着ていないかのように話す」（二八一頁）と、ローズ氏の卑猥さを批難させる。マロックのこのあざとい茶化しがベンソンの批難を招いたのも首肯できることである。

アンブローズ嬢のこの竹篦返しの如き言葉の後、ローズ氏は新しい国家像を語るのであるが、ジェンキンソン博士から「きみは貿易や商業はすっかり忘れているようだね」（二八二頁）と、いつも夢見心地の姿でしか描かれないローズ氏の観念的な非現実性を批判される。その尻馬に乗ってシンクレア夫人に「まったく着るものがなかったら外出などできませんよ」（二八二頁）と言わせ、またもや女性の裸体の想起へとマロックは読者を引き込んでゆく。ジェンキンソン博士の現実の面からの批判は話の流れとして自然であっても、ここから急に女性の裸に話をもってゆくのは、いささか牽強附会の趣があり、話の自然な流れを殺ぐ飛躍である。このような飛躍を用いてまで劣情を喚起する趣向をマロックはローズ氏に対して凝らしている。劣情に関してはこのような飛躍こそが読者を面白がらせるからである。しかし真摯な藝術の営為に全霊を傾ける人間の誠実を歪めることは、藝術家の魂を持つ者であればできないことである。慎重を期して詩学教授候補を降りたペイターの心情は察するに余りあることである。

四　娯楽的読み物

この作品では当時思想界の大御所的存在であったトマス・カーライル（Thomas Carlyle 一七九五〜一八八一）が、しかもマロック自身が一度その家を訪問して話までしたにも拘わらず、登場していない。この辺の事情についてジョン・ルーカスは穿った見解を提示している。

カーライルは『ベルグレイヴィア』の原文ではロウクビー（Rokeby）として登場している。しかし翌年本の形にして出版する際、修正を加える過程でその名を削除し、その発言のいくつかは、ラスキンがカーライルを尊敬していたのでハーバート先生の台詞として割り振られた。だがカーライル役のロウクビーがはづされたのは何故か。マロックが初めてカーライルを訪問した時に、この立派な先生が両手にはめた古い毛織りの手袋で鼻をかむ癖を見て不快感を覚えたことや、マロックが辞去する際、人を小馬鹿にするような言葉を投げつけられたからだと言う。この出来事は『ベルグレイヴィア』に『新しい国家』を連載中の時のことであった。

マロックが理性よりも多分に好悪の感情に左右されやすい性格であることを示唆する一件である。もしペイターの『ルネサンス』を理性的な目で読むことができていたら、マロックがA・C・ベンソンから、「殆ど放蕩的と言っていい放縦な振舞を、私生活も会話も非常に真面目で飾り気のない人の振舞にしてしまうのは、不当で酷である」（『ウォルター・ペイター』七十六頁）と批難されることもなかったであろう。マロックは階級意識が強い上に、自己の立場を客体化して顧みたり、事物を相対的に観察することが不得手な性格であった。しかしアーノルド風に言えば、イギリス人が多分に持つヘブライズム的傾向の強い人柄であることに過ぎず、決して特殊ではないが故に、マロックの立場は寧ろイギリス社会の一般的傾向であり、『新しい国家』はそれをよく反映したものと見てよいであらう。

英国唯美主義は世紀末藝術、そしてモダニズムへと続くイギリス文化発展の藝術運動の基（もとい）をなしたのであるが、その運動の推進は、『新しい国家』に見られるような激しい社会的抵抗を伴なった。ペイターの短篇「オーセロワのドニ」（"Denys L'Auxerrois"）の主人公ドニが持つその不思議な技術の光明ゆえにその魔性を疑われ村人達によって八つ裂きにされる姿は、ペイター自身の己の姿を重ね合わせているものであろう。ワイルドに至ってはイギリス社会によって八つ裂き同然にされて葬られた。その意味で、『新しい国家』は皮肉にも今や英国文化の創造的な担い手の耐えねばならなかつた困難の證しとなっている。

この作品が当代の代表的な思想の歪曲的な茶化しである限り、知的と言うよりも卑俗な好奇心をそそる娯楽的読み物の域を出ることはない。ジョージ・エリオット（George Eliot 一八一九～八十）が一八七七年十一月二十三日付の親友サラ・ソフィア・ヘンネル（Sara Sophia Hennell 一八一二～九九）宛の手紙で、「『新しい国家』をお読みになって面白かったとはいささか驚きました。私にはとても嫌な本でした。それに、主として侮辱を蒙っているベイリオルの学寮長は私の親友なのですから」と書いているように、この本を一方で楽しむ人もあれば、非常に不快に感ずる向きもイギリス社会にあったことは確かである。マロックを訪ねるに、虚にして往き実にして帰ることは望むべくもないが、殊にペイターに関心を持つ者にとっては、ペイターを取り巻いていた社会状況の一端を知るのに役立つ資料として傍流的価値は持つ。

使用参考文献

A・C・ベンソン『ウォルター・ペイター』伊藤勳訳、沖積舎、平成十五年
伊藤勳『ペイタリアン西脇順三郎』、小沢書店、平成十一年
Matthew Arnold, *Culture and Anarchy*, ed. by R. H. Super (Ann Arbor: The University of Michigan Press, 1965).
Robert W. Buchanan, *The Fleshly School of Poetry and Other Phenomina of the Day* (Memphis: General Books LLC Publication, 2009).
Walter E. Houghton, *The Victorian Frame of Mind, 1830-1870* (New Haven and London: Yale University Press, 1985).
Michael Levey, *The Case of Walter Pater* (London: Thames and Hudson, 1978).
W. H. Mallock, *The New Republic*, with an introduction by John Lucas (Leister: Leister University Press, 1975).
Letters of Matthew Arnold, 1848-1888, collected and arranged by George W. E. Russell, Vol. III (New York: AMS Press, 1970; reprinted from the edition of 1903-04, London).
The George Eliot Letters, ed. by Gordon S. Haight, Vol. VI (New Haven and London: Yale University Press, 1975).

Ⅳ　詩人緒方登摩と新詩集『稜線』について

緒方登摩氏の第四詩集『稜線』が出た。この詩人はいかなる詩人団体にも同人誌にも属していないので、詩人としては知る人も少ないかもしれないが、ホプキンズ詩の翻訳者としては、つとに知れ渡っている。

詩集『稜線』の書評をする前に、この詩人の特異な血統について知っておくことは、その詩の理解の一助ともなり得るので、予め一言触れておくことにする。

詩人の祖父ロヂャー・ジューリアス・イングロット（Roger Julius Inglot 明治四年［一八七一］～昭和二十五年［一九五〇］）は、マルタ大学医学部教授を父として、ヨハネ騎士団を前身とするマルタ騎士団で名高いマルタ島に生を享けた。詩人の曾祖父が医師であったことは、マルタ騎士団の流れと因縁がある。マルタ騎士団は巡礼救護と十字軍戦闘を使命として、病院経営と海軍力の保持を特徴としていた。騎士団は十八世紀以降軍事的には衰頽期にあったため、マルタ島は一七九八年、エヂプトへの遠征途上のナポレオン軍にあっけなく征服されてしまった。しかし一八〇一年にはネルソン提督の率いる英国海軍に完全に占領された。

マルタ騎士団は同島を撤退したが、一八三四年にはローマに本部を復活し、医療活動と慈善事業に専念して今日に至っている。一五三〇年以来マルタ騎士団の築いた伝統は、土地柄としてこのカトリックの島に連綿として残り、詩人の曾祖父が本国から呼ばれて医療活動に従事したことは、この伝統の流れの中にある。そして祖父も医者になるべくマルタ大学予科に入学したのだが、途中で方向転換し、ロンドン大学へ行って犯罪心理学を専攻することになる。

さて、このイングロット家を遡ってみると、十五世紀以降英国のノーフォーク（Norfolk）州のノリッヂ（Norwich）に城を構える貴族であった。ノリッヂは一〇九四年にセットフォード（Thetford）から司教座が移された後は重要な宗教都市で、ゴチック様式の尖塔を持つ有名なノリッヂ大聖堂には、十七世紀にそこのパイプオルガン奏者であり作曲家として活躍したイングロット家の先祖の墓所が、今でも柱碑として残っている。その名はウィリアム・イングロット（Willyam Inglot）と言い、国王から叙任されたロイヤル・オルガニストであった。一六二一年の

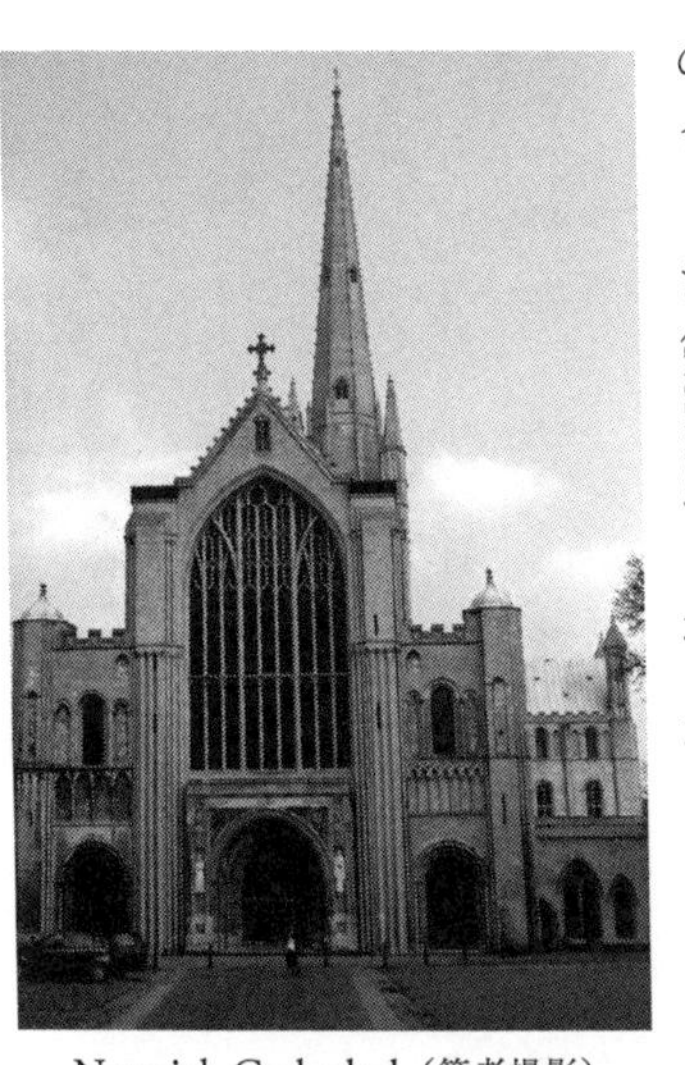
Norwich Cathedral（筆者撮影）

大晦日に四十七歳で亡くなり、柱碑はその翌年に設けられたものである。その柱碑には次のような墓碑銘が刻まれている。

ここにオルガン奏者ウィリアム・イングロット眠る
その音楽の技をこの大聖堂は讃えた
ディスカントゥスゆえにこの上なく　まさに即興的オルガン独奏ゆえに
オルガンでも歌でもヴァージナルでも秀でていた
四十七にしてこの世を去り
今やあらゆる天使に混じって天の聖者となって歌う
その名聲は遠く彼方に及びその名は廃れることはないであろう
見よ　技藝と齢がここにその追憶を飾る
（ここまで筆者訳）

最後にラテン語で次のように結ばれている。

イングロットよ　汝の指はもはやこの世のものに触れることはないが
今や汝の指は天上の気高きオルガンを奏でる
（この二行緒方登摩訳）

大学卒業後二年間イタリアのトリノで英語を教えていたロヂャー・イングロットは、ラフカディオ・ハーン（嘉永三年［一八五〇］～明治三十七年［一九〇四］）が日本に来て六年後の明治二十九年に、ハーンとは違って、ふとした思いつきから東洋への旅路に就いた。六月に日本の土を踏んだ。二十五歳のことである。日本に着いて早々、ロヂャーは三十三歳の原敬（はらたかし）（安政三年［一八五六］～大正十年［一九二一］）にフランス語で英語を教えることになった。カトリックのマリア会が経営する暁星学院を訪れたロヂャーは、院長のヘンリック（Alphonse Heinrich）の許に出入りしていた原敬と知り合ったのが縁であるが、何より増してフランス人を母親に持つロヂャーは母国語同然に、フランス語が堪能だったからである。原敬は英語のみならずイギリス事情に関する知識も得ることになった。

Willyam Inglot 柱碑（筆者撮影）

柱碑、拡大（筆者撮影）

大のオペラ好きのロヂャーは、明治三十八年に赴任した岡山商業學校在任期間には、岡山の医者の許に嫁いで来ていて、時々独唱会も開いていた、後に国際的に名を成すオペラ歌手三浦環（たまき）（明治十七年［一八八四］～昭和二十一年［一九四六］）とも知合いになった。

岡山に来て二年目の明治三十九年に旧松江藩士中山太郎の長女安乃と、岡山天神町のカトリック教会で祝言を挙げた。安乃はまだ女学校三年生の十五歳、ロヂャーはそれより二十一歳も年上だった。実は中山家は、ラフカディ・ハーンの妻節子（慶應四年［一八六八］～昭和七年［一九三二］）の実家である小泉家とは、親しい付合いはなかったものの姻戚関係にあり、緒方登摩氏とハーンの子孫とは血縁関係にある。ハーンの曾孫は小泉凡氏（昭和三十六年～）で、緒方氏よりも早くに、先方はこの姻戚関係について先刻承知であった。

ロヂャー・イングロットは長年にわたって日本の英語教育に貢献した功績により、昭和二年に勲五等双光旭日章、昭和十四年には勲四等瑞宝章を叙勲された。ロヂャーは単に教壇での英語教育のみならず、辞書も出版している。叙勲の翌年、昭和十五年に、長男ウィリアム、即ち詩人の父君英穂と共著で、本邦初の『同音異義語辞典』を丸善より上梓した。因みに、英穂は京都帝國大學の英文科を出て、当時旧制山口高等商業學校教授を務めていた。

ロヂャーは岡山商業學校を離れた後は、鹿児島の七高、天理外國語學校、舞鶴の海軍機關學校を歴任し、そして昭和十四年には拓殖大學に赴任し、十七年にその職を辞した。彼が日本国籍を取得して帰化したのは、この拓大在任中の昭和十六年のことである。日本に融合同化していったハーンとは正反対に、頑なに英国人であることを守り、日本に定住しながら片言の日本語しか話せなかったロヂャーが帰化したのは、戦時下という特殊な状況下で生活を守るための苦渋の選択であった。十九年には長男のいる山口に疎開した。昭和二十五年に心臓発作で亡くなったロヂャーは、湯田のカトリック墓地に埋葬された。

日本に同化しようとしなかったロヂャーは、日曜日のミサも決して欠かすことのない篤信のカトリック信者であった。言うまでもなく詩人の父君も、そして詩人自身もカトリック信者である。このような家庭環境が詩人の内面世界の基礎を成していることは、容易に推察されることである。カトリック教会内の司祭修道会の一つであるイエズス会の会員であったホプキンズ（Gerard Manley Hopkins　一八四四〜八九）の研究と翻訳を、詩人が生涯の仕事としてきたことも、その家庭環境に由来していることは明らかである。そして亦、イエズス会という修道会が、軍隊制度に倣った厳しい規律と固い団結を特徴としているところは、自づとあの騎士団のことが思い合わされもする。

緒方氏はホプキンズの詩にどのように接するべきかということについて、「ホプキンズの立場を聖職者即詩人、あるいはイエズス会員即詩人としてとらえることである」（『ホプキンズ詩集』「訳者あとがき」）と言っている。緒方氏の関心がカトリック聖職者としての詩人ホプキンズにあることが、容易に見て取れる。この詩人の第一詩集『白衣の主日』（昭和四十六年）、第二詩集『DOMINICA IN ALBIS』（山口書店刊、昭和五十五年。『白衣の主日』の改訂増補版）が共に宗教色の濃い詩集であるのは、脈々と受け継がれてきたカトリック篤信家の血がこの詩人にも確実に流れている證しである。しかし第三詩集『独標』（ナカニシヤ出版刊、平成十三年）と新詩集の『稜線』（平成十六年二月）は、その宗教色を薄めて、山歩きを趣味とする詩人のもう一つの側面を際立たせ、前者とはやゝ趣を異にしている。

新詩集はそれ以前の詩集以上に陰翳を深くしている。揺れ動く心にどのように均衡をもたらすべきか、その深刻且つ懸命な努力と抗いによって辛うじて微妙な安定を保っているところが、この詩集にこれまで以上に張りつめた陰翳の濃度を深めている所以であろう。

人には誰にでもある迷い、恐れ、悔い、戸惑い、焦燥等が、この詩集において一層鮮明に浮かび上がってきており、詩人の内省に震えをもたらしている。この震える内省こそ、この詩集をより繊細にしている要因であろう。

愛知大学を定年退職し、引き続きそこで非常勤講師を務めてこの方二年、大きく彎曲する心の軌跡とその心境が、この詩集には如実に反映している。

憧れに衝き動かされ、満天の星に思いを馳せ、山を歩き続けてきた詩人の目は、今なおそのままでありながら、同時に内向する力を強め、自己の生に真っ向から向き合っている。その相反する方向性が詩人の悩める心の揺れを惹き起こす。この相反する心の動きをいかに止揚すべきかが、この詩集の真骨頂である。内向性を強めた詩人の目は、自づと己の生のふるさと、或いは来し方を辿ろうとする。「源流」という作品の動機はそんな意識が反映しているように思われもするし、

「ヒメサナエ」という短詩の一節、

いかにも疲れ切っているようだった
可憐なトンボを手のひらにのせてみた
どこかにふるさとの清い流れがあるはずなのに
風に吹かれ方向を失ったか

では、とんぼに己を重ね合わせながら、詩人は常に遠くを見つめてやまない目を、踵を返すように、失われた時へ、或いはふるさと乃至は己の生の根ざす所へと、差し向ける。詩人にとって抒情という言葉は憧れと殆ど同義のようである。

叙情の中に
新たな叙情を見つけ出そうとする

（「何かがおかしい」）

と、詩人は言う。しかし、

あの日夢見たものが
　すべて消えて行く空しさ
（「夢の忘却」）

をひしひしと感じないではいられないのだ。そして終に、

もうあまり
日は残されていないのに
この違和感は
一体何なのだろうか
（「何かがおかしい」）

という激しい呟きが流れ出てくる。相反する感情、相反する方向性に裂かれた心のほころびと揺らぎが垣間見える。このほころびが詩人の焦燥感を弥増しにする。しかし詩人は、

山の彼方は現実のものとして
今　目の前に存在する

しかしその彼方には
さらなるあこがれが手招いている
………
でもぼくは
いつまでもこの稜線をたどりたい

（「稜線」）

と歌う。夢の彼方にあるのは夢ではなく、そしてそれは亦、口にすることが憚られることであり、それをはづして、大地にしっかりと足を着けながら、三百六十度の展望と夢を齎してくれるような現実をしかと確保しようとする。屹立する足下にある大地こそ、未知なる夢、それのみならず、生の温もりと親密さと安らぎを保障し得るものなのである。さればこそ、「いつまでもこの稜線をたどりたい」と詩人は思う。現実を改めて見直すことは、生のふるさとと来し方を見返り、生の拠り所を再確認することであった。

題として象徴的に用いられた稜線という言葉の裡には、心を裂く相反する方向性、夢と現実との乖離の止揚と有機的一体化の実現への希求が籠められている。稜線を行く者は、常に崩れ易い震える均衡を強いられる。その精妙な緊張感がこの詩集にはある。

文体の面から一言附言しておけば、非常に直截的で、物にさわるような質感を持っている。饒舌を避け抑制を利かせながら直情を活用することで、簡潔な形を成り立たせているからである。この詩人の場合はこのような方法によって、言葉は曇ることなく、それが言葉として厳然としてあり、心象の喚起力を獲得している。作品の透明感はこのようなところから生まれてきている。ホプキンズにおけるインスケイプ（inscape）のように、本質のみ摑み取らんとするこの技倆は、緒方氏が手掛けたホプキンズの訳詩集にも遺憾なく発揮されており、この詩人の面目躍如たらしめていることは、今更改めて言うまでもない。

（『稜線』ナカニシヤ出版・四六判上製・三十頁・本体二千七百円）

＊緒方登摩、昭和六年十二月十三日生、平成二十六年九月十七日没

V　福田陸太郎著作集（沖積舎刊）――第四巻『詩と詩論』

一　西脇順三郎との繋がり

　昨年（平成十年）から順次発刊されてきた福田陸太郎著作集全七巻のうちの第四巻『詩と詩論』は、福田氏の詩歴五十年の集大成である。かつて土居光知（明治十九年［一八八六］～昭和五十四年［一九七九］）は「学術雑誌や単行本として出版される英米文学の研究発表を読んでみても、微に入り細を穿つ力作は多いが、文学の創作に直結しているものはまれ」（土居光知・工藤好美著『無意識の世界』、「対談――創作の心理」）であると言ったが、世界を代表する比較文学者の一人、福田陸太郎氏は「文学の創作に直結」した研究業績を残してきたその稀な学者としてその名を連ねている。福田氏が詩人的資質と感受性に恵まれた結果と言ってよい。そして彼の詩人としての本質とその精華が六百頁に及ぶこの浩瀚な一冊に遺漏なく集約されていて、この詩人がどのような系譜にある詩人であるか、その血統を窺い知ることができる。

私は福田陸太郎というと西脇順三郎を思い浮かべないではいられない。福田氏は順三郎の詩の新たな開花に重要な関わりをもっているからだ。順三郎は昭和十一年以降詩筆を絶った。昭和二十一年、この歌わなくなった詩人のところに赴き、自分の編輯する詩誌『ニウ・ワールド』への詩の寄稿を求め、新たなスタイルをもつ西脇藝術の開花を促したのは、順三郎より二十二歳年下で、この時三十歳の若き詩人福田陸太郎であった。

福田氏が西脇詩の新たな展開のきっかけを作ったことは、もっと注意されて然るべきであろう。『旅人かへらず』の構想を抱き始めたのが昭和十九年というから、放っておいてもいずれ順三郎はどこかで詩を発表し始めたかもしれない。しかしそれでもなお、慫慂するのは誰でもよいというわけにもいかないこともまた事実であろう。福田氏は、順三郎が福原麟太郎（明治二十七年［一八九四］～昭和五十六年［一九八一］）に呼ばれて、東京文理科大學と東京高等師範學校へ出講した時に教えを受け、しかも福田氏自身が「はしがき」で述べているように、「学生時代に西脇順三郎先生の詩に魅惑され」た順三郎の弟子なのである。福田氏が順三郎に時宜を得た誘い水を差し向けることになったのは、このことに加えて、多分に様々なものに滲透したり結合したりする水のような福田氏の気質によると思われる。福田氏が敬愛する詩人にして師である順三郎と語り合うとき、その滲透効果は一層顕著であった。例えば『西脇順三郎対談集』（薔薇十字社）には福田氏との対談も収められているが、西脇藝術の本質を示唆する言葉を順三郎から引き出していることでは、西脇・福田対談がこの『対談集』の中では一頭地を抜いている。福田氏の一見単純な問いかけが呼び水となって本質に関わる発言を引き出している。福田氏の水のような気質と文学的素養が、対談者の詩心や学識と呼応しながら、西脇藝術の本質を間接的に照らし出している。

二　洞察力と滲透性

単なる座談とは言っても、福田氏にはそういう鋭さがあることは、最近出た神谷光信氏の『評伝　鷲巣繁男』（小沢書店）にも引用されている福田氏の座談での発言にもはっきり見てとれる。サン＝ジョン・ペルス（Saint-John Perse 一八八七～一九七五）の詩を自家薬籠中のものとして、ペルス風の詩を書いている日本人がいることを最初に指摘した人として、神谷氏は福田氏を取り上げている（『評伝　鷲巣繁男』二〇七～八頁参照）。神谷氏によれば、福田氏の念頭にあったのは鷲巣繁男（大正四年［一九一五］～昭和五十七年［一九八二］）である。この詩人は福田陸太郎なら自分の詩を理解してもらえるだろうと、詩集を福田氏に送ってきたのだろうと言う。

水の如く他の詩心に染み込む福田氏の滲透性の気質は、彼が詩論の中で取扱っている欧米と日本の様々な詩歌を論じているところに遺憾なくその力が発揮されている。詩歌は一面極めて閉鎖的な世界を形作っており、気質が一致しなければ入り込みにくいし、また詩の方でも読者を拒絶するところがある。東西の詩歌を幅広く渉猟した順三郎でも拒否反応はある。例えば順三郎は自分より七歳年上で昭和九年に没した有名な詩人大手拓次を知らなかった。また昭和四十年代後半、私は日本の現代詩についての感想を順三郎に求めたことがある。詩人は日本の現代詩は相反する結合はあるが、調和がないから駄目なのだと、にべもなく言下に否定した。恐らく順三郎の興味の主体は、同時代ではライヴァル意識もあったT・S・エリオット（Thomas Stearns Eliot 一八八八～一九六五）までで、それより古い時代の文学にあった。順三郎は文学上の師と言うべきウォルター・ペイターと同様に、過去の文学との交感、或いは内面的対話の中で生きてきた。

一方、福田氏の主な関心は現代文学にあり、実際数多くのアメリカ詩を日本に紹介してきた。この詩人はいつもカメラを携えた旅人なのである。このことを最もよく物語る作品がある。第二詩集『海泡石』（東文堂刊）の中の「連続航空写真」である。詩人は「左側の窓でカメラを構え」、刻々と変化してゆく下界を絶えず見つめて捉えてゆく。〈目の慾望〉に憑かれた詩人である。一瞬たりとも無駄にすまいというエピクーロス的態度には、その行為によって自己の存在、生を確認しようとしているところが窺われる。この詩人にとって文学の仕事とは認識することであり、認識はまた自己の存在の保障であったに違いない。その目は次から次へと新たなものを捉えてゆく。この流動性と様々なものへの滲透性という水の気質こそ、この詩人の本質を成すものである。この種の滲透性は順三郎にはなかったものであり、福田氏を福田氏たらしめている特質である。詩人はこの流動性と滲透性によって、批評家としては実に多様な詩を読みこなし、詩人としてはそれらの文体が福田詩の文体の軽妙さになにがしかの影響があることを感じさせる。

三　原主題の探求

目の詩人が移りゆく光景をカメラに収めるようにして切り取り、次々に繋ぎ合わせてゆく文体は、第四詩集『カイバル峠往還』の表題作にも典型的な形で用いられている。しかし現象面だけを追いかけるような姿勢は、ジャーナリスティックな底の浅さを露呈する恐れがあるが、それを救っているのは何であろうか。福田氏は「わが七曜閑談」（第Ⅱ章「詩論」）の中で、「変転きわまりない私たちの周囲の現象に注意し、それらを詩の中に盛り込むのもいいが、たまには、人間の生の根元にある〈原主題〉（これはどうも私の造語らしい）に取り組む」のが「やりがいのある仕事」だと言っている。人生の根源的なものを求める福田氏の姿勢をよく反映しているエセーが、昔の自然学で言う地水火風の四大をもぢったこの七曜閑談である。福田氏には生の根源、現象の根をなすものは何かという意識がつねに付き纏っている。「カイバル峠往還」は、「私はいつしか騎馬民族の一員となって、／あすのカイバル峠への遠征を夢見ていた。」の二行を以て終わる。この詩人は単なる傍観者としての旅人であることをやめて、人間の生きてゆくということの真の意味を、自己存在の遙かな由来にも思いを馳せながら、自らに問いかけをしている。

『海泡石』の中の「ローマの空の下」という戯歌を装ったおどけた詩がある。ローマを見て回った詩人は、ふとこう呟く、「ぼくは一人風に吹かれてたたずみ、／波濤の彼方に沈む故国を思った。／そして一体この自分は、いまここに、ローマの空の下に／何のために立っているのか？」人はふと何かのきっかけで自意識の深みにはまりこみ、何故自分は今ここでこんなことをしているのだろうという奇妙な感覚に襲われることがある。白日夢から突然目覚めたような感覚である。その瞬間、それまでの景物が遠近法の中に置かれ、理性による立て直しが行なわれ、自己の存在の根を見据えようとする。詩人は己のありかを探り、或いは順三郎のようにおどけやもぢりなどの技巧をも駆使しながら、詞藻がジャーナリスティックな底の浅さや一過性、及びセンティメンタリズムに堕することに警戒を怠らない。

四　理性と夢想の間

『カイバル峠往還』の冒頭を飾る佳什「アルルの木漏れ日」も理性が夢想を破る。アルルへの道行きを語り、次いでそこで夢想に耽り始めると、「突然、警笛が私の夢を破った。帰りのバスに乗り込む。」詩人は『琉球諸島風物詩集』をめぐって」というエセーで、「紀行詩」という言葉を用いているが、次から次へと連続する景物を語るこの手法は、日本の古典藝能における道行きを思い起こさせる。道行きが夢想に変質しそうになる時、詩人は理性の目覚めに返る。福田氏の詩はそういう夢想と理性とがせめぎ合うところで微妙な均衡を保っているのである。それはエセーを書く時もそうだ。第Ⅳ章「西脇順三郎」で順三郎の詩境を論じながら、「私は〈蒼白〉およびその一連の言葉に思わず深入りする危険を冒してしまった」と自戒している。この詩人は夢想にしろ、複雑な思考にせよ、そういうものに深入りすることに極めて神経質で警戒をする。感傷に堕することと、くどくなって軽妙さを失うことを恐れるからだ。深く潜って浅く出ることが、恐らくこの詩人の藝術理念であろう。感情に或いは夢想に呑まれまいと、詩人が居ずまいを正して端然たらんとする様には、廉直な武士の血脈（けちみゃく）を髣髴とさせるものがある。

かくして福田藝術は、詩にしても散文にしてもこだわりを捨てたところに生まれる。時にさらさらと流れる水のように淡く、時に表面は波立つことなく、淵を流れる水のようにあくまで滑らかであろうとする、それがこの詩人の文体の特徴である。エリザベス・ビショップ（Elizabeth Bishop 米国の詩人、一九一一～七九）や西脇順三郎 のような自分の好きな詩人となると勢い熱が籠もるが、それでも〈熱情的な冷たさ〉を保ち、常に抑制を利かせている。しかしそんな状態の方が却って魅力がある。詩作品の中でこの抑制を以て澹々と語られる景物の淡さ、誇張のない措辞は、日本古来の生成り（きなり）の文化に根ざしたものであることを深く印象づける。

五　西脇藝術の影響

『詩と詩論』により初めて福田陸太郎氏の詩の全容を多くの人々が目にすることができるようになった。私もその一人で今回初めてこの詩人の詩業のすべてに目を通す機会を得た。通読してわかったことは、この詩人がいかに西脇詩、殊に『Ambarvalia』から決定的な影響を受けているかということであった。既に見た福田氏の孤独な旅人意識或いは流動的な動きは直接的には順三郎の影響の下で生まれ、それが文体となるまでに形象化されている。そして福田氏はこの流動形態を新たな形に発展させている。順三郎の流動感覚は回想における意識の流れであり、盥の中で回っている水のようである。水は確かに流動しているが、全体としてはどこにも流れて行っていない。動にして静の形態をもつ。順三郎にとって回想は単に過去の思い出ではなく、それは現在そのものなのである。自己の存する限り、時は飛去しつつ飛去せざるものであり、過去の経験は今に属する。三世（さんぜ）は今そのものである。眼前の現実は己自身の反映であり、過去の経験と密接に繋がり合って現出している今の今、即ち過去は過去ではなく今なのである。こうした主観的な時の観念を持つ順三郎にとって、相反するものは、亦同一に帰するものであり、雑草ばかりに目を向け、社会に背を向ける姿勢は社会の無視ではなく、社会を批判する逆説的表現となった。

福田氏はこれとは反対の立場を取る。カメラを持った旅人として常に矚目の事物に向き合っている。順三郎と同様に生の根源にまなざしを差し向けながらも、全一的にして循環的な順三郎とは違って、直線的な動きをしながら現象をつぶさに観察し続ける、動が主体の詩人である。順三郎を凌ぐ徹底した旅人意識がある。現実に直接的に向き合う理智的な詩人の必然として、「差別用語集」（『カイバル峠往還』）のような諷刺詩が生まれてくる。この種のものは順三郎にはない。福田氏は順三郎を引き継ぎながら新たな形態を展開し創造していったが、『海泡石』や『欧洲風光』（国文社刊）における措辞では順三郎の香を馥郁と漂わせてくるところがある。

例えば、「時ならぬかなしみをもたらした」（『海泡石』「ジプシーの女」）という一節は、「南風は柔い女神をもたらした。」（『*Ambarvalia*』「雨」）が思い出される。同じく『海泡石』の「ローマの空の下」十二行目、「客船でない小さい船で地中海を越えた」は、『*Ambarvalia*』の「皿」七行目、「寶石商人と一緒に地中海を渡つた」の一節が福田氏の脳裡にあったであろうことは容易に推測できる。或いは「虚空の花」（同上）では、一行目の「颱風が横へそれて名残の風の吹く朝」は、「天気」（『*Ambarvalia*』）の書き出し、「（覆された寶石）のやうな朝」のように冒頭に体言止めで「朝」を持ってくることの効果に倣っている。これに続いて、二行目の「私は浅草の方に住む花火師と歩いた。」は、「二人は昔のことを話しながら歩いた」（『近代の寓話』「呼びとめられて」）の例のように、旅人を聯想させる順三郎のよく用いる言葉と響き合っている。更に八行目、「花火師は腹をかかえて笑った。」は、「少年は小川でドルフィンを捉へて笑つた。」（『*Ambarvalia*』「太陽」）と通い合い、その行に続く最後の二行、「あっしの花火はヒマラヤより高く上りますわい。／風さえなけりゃね」という庶民的な話し言葉と口調は、「『だんな　このたびは　金毘羅詣り／に出かけるてえことだが／これはつまんねーものだがせんべつだ／とつてくんねー」（『旅人かへらず』「三九」）のような、順三郎がしばしば描いた土俗的な生活そのものの光景を喚起する日常の素朴な言葉遣いと繋がり合っている。『欧洲風光』からも一例を挙げれば、「高い窓からの風景」の最終の三行、「おしよせる地球の重み／かたむく空　手にすべる一冊の詩集

／やがて窓からのぞく星と木に沈む心」は、「薔薇に霞む心／石に刻まれた髪／石に刻まれた音」（『*Ambarvalia*』「眼」）のもたらす言葉の響きと共鳴し合う言葉の繋がり方をしている。体言止めの連続がもたらす効果のみならず、殊に「星と木に沈む心」は「薔薇に霞む心」と共鳴し合っている。

『詩と詩論』の詩論の部において、「西脇順三郎」論を除いても、西脇順三郎の名への言及は二十五回に及ぶ。他の詩人と比べると圧倒的な頻度である。福田氏は詩論の中で何かというと先づは西脇詩に立ち返っている。順三郎とは五十年に及ぶ付合いのあった福田氏は、西脇詩を土台にして独自の福田文学の世界を築き上げたことを、『詩と詩論』は如実に物語っている。

VI　福田陸太郎詩集『カイバル峠往還』

一昨年の平成七年、日本現代詩人会から「日本先達詩人」に選ばれた福田陸太郎氏の第四詩集『カイバル峠往還』が昨年十一月にアートランドから出た。福田氏は平成七年に数えで傘寿を迎えたが、なおも老いを感じさせないこの詩人の感性の瑞々しさは稀有である。

迷宮に迷い込んだかの感のある現代詩にあって、自己閉塞的な詩境とは恰も無縁の如く、前方へと開けた展望を見せているのは、澹々とした語り口で述べられる白日夢の世界が、自然と社会を深く見通した直観に貫かれているからに他ならない。著名な比較文学の泰山北斗と言うべきこの博覧強記の学者という一見いかめしい趣とは裏腹に、学問臭さや衒学的な嫌みのないこの詩人は、おそらく学匠詩人と呼ばれることは最も嫌うことではないかと思われる。それだけにごく身近な材料を扱い、つねに平易な言葉による具体的表現に努めてきた。永年の文学研究を通して培われた洞察力に支えられた奥行きと安定感を感じさせる。

この詩人の作品は、矚目の事物との対話から紡ぎ出された白日夢である。巻頭を飾る「アルルの木漏れ日」では、詩人は木漏れ日を浴びながら周りの風景と一体化してもの思いに浸っているると、「突然、警笛が私の夢を破った。帰りのバスに乗り込む」仕儀となる。この詩人の意識は回想へと遡行するのではなく、眼前の景物と融合して夢を織り成し、それはつねに果実の切り口からぱっと広がる香気のような、現在の空間に現れたあえかな幻影を思わせる。夢想と現実との交錯が不思議な綾をなしている。凛とした緊張感と言うよりも、寧ろたおやかに感情の起伏する様は、一語一語の硬質の輝きではなく、おだやかな言葉の連鎖の中に詩人の魂の息づかいを感じさせる文体を作り上げている。これこそこの詩人の作品が詩と散文との境に立ちのぼる蜃気楼のような風合いを醸し出している所以であろう。

こうした文体は、この詩人の激したものは常に避けようとする配慮を窺わせる。凡庸に堕することを避けながら、感情の抑制されたもの静かな感動を表現するために、対象を慎重に選び取る深慮がなされている。個人的経験を扱う場合は、老境にあっては曇りがちになる感性の衰頽をも感じさせずに、詩人は新鮮な感動をもたらしたものだけを厳選している。詩は驚きであるというローマン主義精神は、この静謐な詩境の中になおも息づいている。この詩集の表題作「カイバル峠往還」がその好例であろう。パキスタンとアフガニスタンとを結ぶカイバル峠の「天と砂のほか何も目に入らぬところ」は、この詩人にとって余りにも新鮮な驚きであり、しかもフランスの港町カレーからはるばるシンガポールまで走る長距離トラックとの遭遇は、おそらくこの詩人に古代から連綿と続いてきた雄大な人間の生活の営みの逞しさを喚び起こし、日常性を超えた感動を与えたにちがいない。

　社会的なことをテーマにした作品はと言えば、例えば「差別用語集」は、差別用語なるものの一方的な決めつけと、その言葉の使用禁止を強いれば差別がなくなるという安直な社会風潮に対する諷刺である。差別という個々人の道徳的な心のあり方に起因する問題を、言葉の本来の機能と本質を無視して差別そのものと関わりのない言葉の問題にすり替えようとする偽善に対する辛辣な逆説的皮肉に貫かれた作品である。しかしこれとても、「鋤（スペード）を鋤（スペード）と呼ぶことのできない時代には、／原初の世界に戻ったような生き方をしてみるのも一興だ。」と、皮肉に満ちたおどけでこの詩を締めくくっている。このたゆみない諧謔精神は社会の、或いは文化の危機的側面を扱いながらも、人々をいたづらに刺戟することもなく、却って読者を笑いへと誘うと同時に再考を促すのである。詩人は強靭な主体性が求められる喜劇精神によって、激情から解放され、自己の内外をあるがままに見、社会の不合理を嗤いながら、そうした対象を藝術の域にまで昇華しようとしている。福田陸太郎という詩人は何食わぬ顔をして人を笑わせる。これは生硬さを和らげるのに藝術では重要な要素である遊び心の発露と言ってよい。シェイクスピア悲劇においてさえも、例えば『ハムレット』の中でも喜劇的要素を欠かしてはいない。オフィーリアの溺死を自殺か否かを、道化の墓掘り人夫二人に議論させている。キリスト教では自殺者は埋葬することが禁じられ、野晒しにすることになっているからだ。しかし身分が良ければ決まりもねぢ曲げて運用される世の習いを面白おかしくしゃべらせている。

「君の名は」という作品の題名にも、明らかにこの詩人が若かった昭和三十年代に一世を風靡したラヂオ放送のメロドラマの通俗的な題名を意図的に使った遊び心が見て取れる。しかも水のことを扱ったこの詩の、「私の友人は昔沖縄の戦場で倒れた米兵が／最期に君の名を呼ぶのを耳にした。／それは「ワラ」と聞こえたそうだ。／藁をもつかむという思いというものがある。」を読むに至ると、悲劇と笑いがいかに紙一重であるかを思わないではいられない。この詩人には深刻なことも危機的なことも、明確な主体性のもとに距離をおいて眺めるゆとりと達観がある。ここに寛容と自由が確保されているのである。

VII　生のなつかしさ

工藤好美著『文学のよろこび』――「家のなかの天使」

一　不即不離と親密性

南雲堂から上梓された『文学のよろこび』（平成元年三月）の中で、とりわけ工藤好美氏を知る人達の注目を集めたのは、おそらく「家のなかの天使」をおいて他にないであろう。この作品は、現在（平成元年）九十一歳の工藤氏が公表した初めての小説である。私が瞠目したのは、それが scholar-artist 工藤好美氏の初めての小説であるということ以上に、すぐれた文体をもった作品だったからである。この作品は『文学のよろこび』の中の圧巻である。

軽やかな透明感、瀟々としていてしかも親密な生のぬくもり、かすかな哀感と諧謔の交錯、喜怒哀楽の情の極めて抑制された縹渺たる感情の流れといった美質をもつ文体が、読む者を魅了してやまないであろう。

工藤氏を知る者にとっては、この作品をどうしても単なる自伝的回想として読む誘惑にとらわれがちになるかと思われるが、「あとがき」で、「これは一種の物語であり、探せばモデルらしいものも見いだされるかもしれない。しかしこの物語の特徴はモデルへの忠実さにはない。むしろそれに対する自由さ、あるいは不即不離の態度にある」と、工藤氏自身が書いている通り、この作品は藝術的に昇華されたひとつの創作と見るのが妥当である。

藝術はどんな事柄であろうと、人間の経験に関わることならどんなことでも材料にし得る。工藤氏はたまたま自分の家庭を材料に選んでいるにすぎない。ひとたび想像力を恃みとする藝術意志によって、或る材料を用いてひとつの構築物を作り上げると、材料そのものは地上的な繫累から解放されて、作者の想像力に従って形を自由に変えることができる。地上的繫累即ち現実世界における事実ということから解放された以上、作品における個人的事実を穿鑿すること自体無意味である。焦点は現実的事実から藝術的真理の世界へと移っている。地上的繫累を離れることによって、扱われている内容とその形態は、藝術として、即ち藝術的真理の具象化たる虚構として独立した存在になるということを、どんな作品を読む場合でも常に意識していなければならない。この常識が常識として通用せず、虚構と現実とを同一視する傾向が強く、殊に十九世紀にはこの見方が原因で藝術が社会問題を惹き起こしたイギリスのような場合もあるから、改めて断っておかねばならない。藝術は経験を材料にしてひとつの美しい虚構を作り上げることに他ならない。従って、扱われた材料はたとい事実であっても、政治や宗教、イデオロギーとは隔絶した純粋美の領域、日本風に言えば風流の領域において藝術形態を得た時点で、それは既に事実ではなくなっている。工藤氏が、「この物語の特徴はモデルへの忠実さにはない」と、わざわざ断っているのも、藝術の世界と現実とを截然と区別しないで同一視しがちな読者に対する注意であろう。工藤氏が選んだ材料は、実は材料としてはかなりやっかいで藝術的手腕が要求される種類のものである。この種のものは失敗すれば読むに堪えないものになることは必定である。この材料を用いて感銘を以て人に読ませるだけのものに仕立て上げることができたのは、工藤氏の藝術的技倆に他ならない。

この作品の成否は、一にそのモデルの扱い方にかかっていたと思われる。工藤氏が腐心したところもその辺にあったのではあるまいか。工藤氏はこれを成功させるために、氏の言葉を借りれば、「不即不離の態度」を守った。文字通り即かず離れずという態度によって、対象に溺れず、かと言って主知主義的な無関心から来る冷淡さに徹することもなく、生のぬくもり、工藤氏の好きな言葉を使えば、intimacy（親密）を確保することが出来た。

二　植物世界と霊化

「不即」とは、藝術家が材料即ち経験をひとつの虚構に仕立て上げるのに必要な最も根本的で肝要な精神の自由の謂（いい）である。工藤氏は対象との間に一定の距離と精神の自由を確保している。すぐれた藝術の特徴である軽さがこの作品には具わっていることについて、おそらく誰も異論はなかろうと思われるが、この軽さは第一に対象との間の一定の間隔の確保によってもたらされる想像力の飛翔から生まれ、ついで表現の簡潔によってその軽さが仕上げられるものと考えられる。この第二段階の簡潔に関しても、「家のなかの天使」はその文体においてそれを獲得しているが、その簡潔の種類と質を問題にする必要があろう。「家のなかの天使」をほのかにつつむ縹渺とした感情のたゆたいも、そこに由来しているように思われるからである。

工藤氏の簡潔さは、時の流れに身を委ねて、こだわりを捨てたところにある。ウォルター・ペイターの「想像の画像」という形を借りながら、簡潔さに関しては盤根錯節した表現形態に陥りやすいゲルマン人的気質を受け継ぐペイターとは全く逆の、極めて日本的な方法を工藤氏は採っている。ペイターは一瞬を最大限に拡大する方法を採った。文学は時間的展開を本質とするが、ペイターはその目的のために絵画、殊に肖像画と風景画の領域に文学を踏み込ませた。その描写においてペイターの文体は修飾過多ではあったが、言葉そのものの簡潔さ、即ち凝集力のある的確な表現と、対象の本質を一言で表現する方式化（formularization）によって、ペイターは部分部分を見るとその文体に締まりと簡潔さを見せている。

それに対して、工藤氏は喜怒哀楽の微かな感情で淡い色づけをしながら時の流れのままにひとつひとつの事象をさらりと描いて軽く流している。生活の営みが恰も自然現象のごとく描かれている。社会的な人間関係の煩いをできるだけ殺ぎ落とすことによって自我へのこだわりや複雑な感情のからまりを避けながら、主人公の生を恬淡とした態度で描いている。

西洋の人間中心主義では、人間を社会的動物としての観点から、個人と社会との絆と交流、そこにおける人間関係の空間的な展開に重点が置かれる。そこには動物的な執拗性を高める自我の先立つ社会が構成される。翻って日本を見た場合、各個人の移動という運動と相互の関わりによって社会が複雑に織りなされるその様態に注意が行くよりも、伝統的な生命観として、枯れては生うる植物のはかなく孤独な姿に人のいのちを重ね合わせて見る傾向がある。「家のなかの天使」もこのような考え方の蹤跡を追っており、植物的なこだわりのなさを以て己を忘れ、時の流れのままに流転する人のいのちを観照している。従って、社会的な動きや人間を中心とする社会環境は幽かな影としてしか現れてこない。社会的な事柄は植物的な孤独、もののあわれを表現するには、削り落とさねばならない不要物だったわけである。

非社会的な植物的世界を創り出す手立てのひとつとして、作者は主人公を素朴で繊細無垢の感覚的受容力をもった人に仕立て上げた。そのためには主人公は世事に疎く、要らざる知識を持っていてはならない。純粋に透明な感覚の権化でなければならなかった。この生のありようについては、ペイターの想像の画像の一種である「透明性」（“Diaphaneitè”）に描かれた人格を想起させる。このようないのちの在り方に象られることによって初めて、主人公は小鳥と話し、草花と親しく言葉を交わして自然の生命と一体になることができたのであろう。

三　現実の夢への転換とその質

主人公を植物的な自然現象のひとつとして捉えることによって、対象の霊化（etherealization）を図っているように思われる。霊化、即ち現実の夢への転換である。これによりこの作品に軽妙の趣が彌増しに加わり、無の様相を深めてゆく。加えて日本的な自然観と死生観が「家のなかの天使」の文体における簡潔さと軽やかな流れに大きく寄与している。

薄絹のような生地の文体をもった「家のなかの天使」は、その形態自体が無を指向している。しかし、それにはまた無の境地に入りきれないためらいが窺われる。このためらいこそ工藤氏の場合における「不即不離」の「不離」であり、対象から離れきっていないという印象を読者に与える要因であろう。この不離の姿勢がまた生のぬくもり、生きとし生けるものへの限りない慈悲の源泉となっている。この源泉から全篇の底流を成す主調音として生のなつかしさの情調が流れ出ているのである。不離とはまさにこの生のなつかしさであろう。

時の流れのままにいのちあるものすべてを自然現象に帰してしまう「家のなかの天使」は、当然の帰結として大団円をもっていない。微風に揺れる木の葉がちらちらと妙（たえ）に変幻する光を照り返すように、「家のなかの天使」は光加減のかすかに異なるいくつかの生の風景を、微妙な感情の陰翳をゆらめかせながら、絵巻物のように見せてくれる。

工藤氏がいみじくもこの作品の中で、ペイターの想像の画像の本質を示唆しつつ、「このような書きもので問題になるのは客観への忠実ではなく、想像の質である」（「序」）と言っているように、「家のなかの天使」の中で味わうべきものは、そこに織り出された生地としての文体と、それが放ちまた醸し出すその場その場の光の具合と精妙な感情のたゆたいそのものである。これがまたこの作品の眼目でもある。

不即不離という心のありようは、不即という無に向かう力と、不離という有に留まろうとする力との微妙な拮抗状態と言える。作者はこの状態を利用して主人公の生を現実のように見せながら、その実質を夢に転換している。一種の仮面の告白の如き趣を呈している。ペイターの藝術形態はワイルドの仮面としての藝術を導き出し、次いでワイルドと肉慾そのもので結びつき、『假面の告白』をものした三島由紀夫へと繋がりを見せていることに思いを致せば、このことは自づと肯うことができるはずである。

四　「白夜」とものの哀れ

ペイターは『享楽主義者マリウス』(*Marius the Epicurean*) の中で、主人公マリウスの生まれ故郷を「白夜」と名付け、その白夜の意味を、なべて空白の忘却ではなく、半ば眠りに鎖されながらも絶えず夢見ている夜と説明している。これは藝術の発生を待つ胎内風景を描いたもので、仮面論の濫觴と言うべきものを語った箇所である。

工藤氏はこれに倣って、語られた内容は事実であって事実でなく、現実であって夢にすぎないという縹渺とした世界を創り出そうとしたように思われる。そして読者が注意しなくてはならないことは、この世界は実は作者が死を深く見つめてきたところから生まれてきたものであるということである。にも拘わらず死の凝視からくる重苦しい雰囲気はひとかけらもなく、諧謔があり軽く明るい透明感に満ちているのは、藝術性の優先に必然的に伴う自己滅却の帰結であろう。死の凝視が深ければ深いほどそれだけ軽く明るいものに仕上げられ、そこに諧謔の裏にある哀感が滲んでくるようなこの藝術形態は、日本古来の死生観を如実に反映するものである。

工藤氏は若き日の自分の言葉について、『文学のよろこび』に収められているエセー「文体について」の中で、「私のそのような言葉は、いま考えてみると、やや古風な日本語とペイターの言葉との結婚から生まれたもののようである」と言っているが、「家のなかの天使」も、ペイターの想像の画像から形を借り、文体においては日本の古典を拠り所としているように見受けられるところからすると、やはりこれもペイターと、もののあわれという日本の伝統との結婚から生まれたものと言ってよかろう。

この作品中最も美しい件（くだり）、

それらのなかにあって頭抜けて背の高いのが欅（けやき）である。それが夏の青葉でつつまれるとき、その下を通ると、人の声も足音もおぐらい木の間の闇に籠（こも）るかと思われ、秋から冬になって葉が落ちつくすと、無数の大枝小枝が白い光となって輝き、その行く末は澄んで氷った大空に呑みこまれる。

（『文学のよろこび』三一三頁）

という表現は、まぎれもなく日本人の感性そのものの表出であろう。そして特に、「それが夏の青葉でつつまれるとき、その下を通ると、人の声も足音もおぐらい木の間の闇に籠るかと思われ」という部分は、『和泉式部日記』の書き出し、

夢よりもはかなき世のなかを嘆きわびつゝ明かし暮すほどに、四月十餘日にもなりぬれば、木のした暗がりもてゆく。

（傍点筆者）

と、明らかにこだまを交わし合っている。

似非歌人が歌人としてもてはやされる昨今にあって、美しい日本語を愛し、西洋文学の神髄を巧みに取り込みながら、古典に馥郁たる香気を放つ日本のこころを現代に甦らせることのできる隠れた歌人工藤好美氏の存在は貴重である。

VIII　工藤好美著『ことばと文学』に寄せて

一　ヒューマニズムの限界

工藤好美氏の卒寿を記念して、本年（昭和六十三年）四月に南雲堂から『ことばと文学』が版行の運びとなった。大正末期の学生時代のものから近年の著作に至るまで十一篇のエセーから成っている。西脇順三郎と肩を並べるすぐれたペイタリアンとしての工藤氏の足跡を一目で俯瞰するには、著者が「あとがき」で、「後に残したいと思うものを選んで一冊にまとめたものである」と言っているだけに、粒ぞろいの評論を収める好著である。

工藤氏はペイター文学を翻訳しようと思ったとき、「ペイター文学とそれを成立させている言葉は、私がそれまで知っていたいかなる文学とも、いかなる言語ともちがっていた」（『文学のよろこび』「文体について」）。工藤氏はペイターを翻訳するに当たって、新たな日本語を創出すべく、

工藤先生九十歳記念祝賀会、和子夫人と共に。昭和63年4月8日、新宿ホテル・センチュリー・ハイアットにて（筆者撮影）

国語の勉強のし直しに入った。歴史を遡って日本古典の世界に沈潜した。「『古事記』と『万葉集』、『伊勢物語』と『源氏物語』、『方丈記』と『徒然草』、『平家物語』、芭蕉の俳句と散文、上田秋成の『雨月物語』、近松の浄瑠璃と西鶴の小説など」（同上）の世界に籠もることで、日本人気質とは対蹠的なゲルマン民族の魂の恢復を目論んだペイターの言葉を日本語に溶かし込み、その文学を日本に転生させた。この点において工藤氏の右に出るものはいない。国語の勉強のし直しを経ることで獲得したこの生み返しの錬金術により、工藤氏は異なる言語の間に立つ障壁を溶かし、英国作家達の心に内視鏡を差し入れるような洞察を掌中に納めた。

前置きはさておき、工藤氏は「家のなかの子」（"The Child in the House"『ウォールター・ペイター短篇集』）の中で、Weltschmerz 即ち世界苦という言葉を「もののあわれ」と訳している。生きとし生けるものの苦しめる姿を見るにつけ、ペイターが感じる深い愛情と憐憫は、我々日本人の感性のあり方としてのもののあわれに通じるところが多いと、工藤氏が考えた結果だと思われる。もののあわれは、世界苦の認識と同じく、死の意識をその基とし、対象への限りない愛情と憐憫を含んでいる。ペイターも紫式部（天禄元年／天延元年［九七〇／三］～寛仁三年［一〇一九］以降に没）も「死の美学」を実現したことは確かであるが、紫式部は『源氏物語』においてもののあわれをそれ自体独立した美的現象として捉え、それをひとつの美学にまで洗煉していったのに対して、ペイターは世界苦の認識と同情をそれ自体独立したものとして美学の領域にまで高めることはしなかった。ペイターは死の意識をその文体に反映、否、文体そのものを死の表現にしたのである。

ペイターは『享楽主義者マリウス』の中で、共感こそ人間の存在を支える不変の根本的土台であることを述べている。人と人との共感或いは愛情を絆とした繫がりにペイターは救いを見出だそうとしている。そこにこそ単なる理智によってでは到達し得ない永遠があると考えたのである（*Marius*, II, Chapter XXVIII 参照）。この親密な関係を自己と環境との間にも、また遙かな時間を隔てた歴史の上にも見出だした。「かつて生きていた男や女の興味を引いたことのあるものは、その活力をすべて失ってしまうようなことはない」（“Pico della Mirandola,” *Renaissance*）。これがペイターのヒューマニズムの信念である。このヒューマニズムは理智よりもむしろ多く心情にその基盤が置かれている。生活と環境の中に自己と同質的なものを見出だし、そのすべてをヒューマニズムの名の下に包摂しようとするのが、ペイターのヒューマニズムであった。

どんな宗教であろうともこの種のヒューマニズムを離れては存在しない。この観点からすれば、あらゆる宗教は人間の心に根ざしている限り、相互に調和しないということはなかろうということになる。従って、その意味ではピーコ・デッラ・ミランドラ（Giovanni Pico della Mirandola 一四六三〜九四）がキリスト教と異教とを調和統一しようとした試みは決して暴挙ではなかったということになる。マリウスが古代ローマ時代のヌマの宗教からキリスト教に移ってゆくとき、あえて改宗という手続きを踏む必要がなかったのは、マリウスがこのヒューマニズムに立脚していたからに他ならない。ヌマの宗教もキリスト教も人間の心に根ざしたものであるという意味で同根であり、決して相反するものではなかった。この両者はマリウスの心においては、その発展乃至成長過程の各一段階を占めるものにすぎない。マリウスにあっては改宗という形を取ること自体不自然なことである。すべては連続発展にすぎない。ペイターにとって、絶対なるものはヒューマニズムであって、それに内包される人間の営みはすべて相対的立場にあり、キリスト教のみ絶対的な宗教であるということはあり得なかったのである。

マリウスは「もののあわれ」に殉じたのであって、キリスト教に殉じたのではない。ヒューマニズムの根幹を成す愛情と共感と憐憫に殉じたのである。たといそれがキリスト教であろうとも、ひとつの宗教に囚われることは地方性に留まることである。宗教をも包摂する普遍なるヒューマニズムこそマリウスが身を投ずべき対象だった。「どんな小さなことについてであろうとも、ものにおびえている人にたいして常にいだいていたある憐憫の情、たとえ一瞬間であれ、ほとんどどのような犠牲をはらっても助けてやりたいという気持」（「家のなかの子」工藤訳）こそ、マリウスの心を支配していた思いだったのである。

このようなペイターのヒューマニズムの価値を工藤氏が認めながらも、自他の同質性、連続性に終始するマリウスのヒューマニズムに最終的に魂の救いはあるのであろうかと疑念を呈したのも尤もなことである。ペイターのヒューマニズムの根幹は理智よりも寧ろ感情に多く依存しているが、理智が冷厳に情緒的なもの、感覚的なものを突き放し、自己にまつわるあらゆる連累を絶って己をそこから脱落させ、あるがままの自然を習うことを通して己と宇宙の真如を悟るところにしか、魂の救いはないように思われるからである。

共感を介した人と人との親密さ、自己と環境との同質性の意識は、これを得るに理智による認識の過程を踏むものの、ペイターの場合それと並行して同等の大きな働きを担っている情緒的感受性に委ねられている。そして確かに、最終的には、ペイターが常に関心を持っていた今はの際には、知識でもなく、理智の産物の思想哲学でもなく、寧ろ情緒纏綿とした相互の深い繋がり、一体感、連続性こそが絶対的な意義をもつであろうことも、容易に推察はできる。

しかし、生きとし生けるものの苦しみへの憐憫、もののあわれといった情緒的感受性は、ただそれだけでは死を乗り越えるだけの強さと事物を見通す力を持たない。この種の感受性にのみかかづらうとき、魂は安定を得ることはできない。あれほど理智的で緻密で男性的な構築性をもった文体に仕上げながら、なおかつペイターの表現の輪廓がおぼめいているのは、一体何ゆえであろうか。読者からすればそこに死を乗り越えられず彷徨する魂の震えが感じられる。ペイターは死をその藝術の形、即ち文体にし得たものの、死を乗り越えることはできなかったのである。

二　方式化

ペイターの文体はしばしば青銅の森の如く息苦しく感じられることがある。それは死の重圧に鬱屈したペイターの魂がそこにあるからではないのか。この重みから脱したところに魂の解放される永遠があるであろう。この脱却はとりもなおさず自己脱却であり、無私の境地に至ることである。この無私の境地を芭蕉は軽みと言った。

此秋は何で年よる雲に鳥（芭蕉）

この句では先づ身の老いをかこちつつ、次に雲間に消え入る鳥の孤影に自己のはかない小さな存在を映すと同時にそれを捨て去っている。ここで作者は自己を脱却し大空（だいくう）についている。この句は存在の寂寥、悲哀を感じさせると同時に、人生を達観し死を超越した軽さの極みにある。

自己に囚われず却ってそれを客体化し、己と自然の本質とを見極めてそれを一言で直観的に摑み取る鋭さと強さがなければ、すぐれた藝術品が見せる簡潔な軽やかさを実現することはできない。芭蕉の言う軽みというものは、自然物を自己に引き寄せそこに恣意的な象徴を見出だすゲルマン的象徴思考とは無縁且つその対極にあって、法爾自然（ほうにじねん）に依り如実知見に軸足を置く目と思考を通して存在の本質それ自体の美しさを引き出してきたところに立ち現れる。先の句の「雲に鳥」には、現代の日本人が考えがちな象徴的意味はなく、それ自身の表現の美しさに輝いている。

すぐれた詩は構成が緊密でどの一語を闕いても全体が損なわれてしまうのは確かではある。しかし亦、そのような簡潔の極みに達した詩は、その断片だけでも美しい輝きを放つのも事実である。古代ギリシア彫刻は断片になってもなお、それ自体の美しさを保っていることと同様である。ギリシア彫刻はいかなる意味でも象徴ではなく、精神はその形像それ自体において終始している。連続性を以て一体化している生命体と同様な有機性に生かされている藝術作品は、一即多、多即一なる全一形態を取っているが故に、断片は全体を聯想或いは喚起しうる生命的な力を内在させている。

ギリシア藝術を憎んだキリスト教徒はその破壊行為に及んだ。サッポー（Sappho 前七世紀後半～前六世紀前半）の詩も一再ならず大々的に焚書され、完全な形で残っているのは「アプロディーテー禱歌」ただ一篇だけである。詩の女神ムーサは九柱坐（いま）す。それ故にプラトーンはこの不世出の閨秀詩人を十番目のムーサだと詩に詠んで褒め讃えている。惜しむらくはこの詩人の詩作品は、先の一点を除いて引用等によって残された断片しかない。さはれ、サッポーの詩はすぐれた措辞の輝きがあり、読む者を魅了し深い感動をもたらす。

断片であってもこのようにそれ自体の美しい輝きを見せる作品こそ、真の藝術作品と言える。ペイターもその気質において象徴主義者でありながらも、「形はその語の完全な意味において、すべてである。単なる材料は無である」（"The Doctrine of Motion", *Plato and Platonism*）と言い切って、形それ自体の美を求めたことも、また事実である。一例を挙げれば、「常にこの硬い宝石のような炎で燃えること」（To burn always with this hard, gemlike flame, "Conclusion", *Renaissance*）という一見象徴主義的な表現は、象徴を超えてそれ自体の独立した美に到達している。ペイターのこうした詩精神は批評においては方式（formula）という形で現れる。「すべての藝術は絶えず音楽の状態に憧れる」（All art constantly aspires towards the condition of music, "The School of Giorgione", ibid.）、レオナルド・ダ・ヴィンチを評して言った「好奇心と美の願望」（curiosity and the desire of beauty, "Leonardo da Vinci", ibid.）、ミケランジェロの本質を穿つ「甘美性と力強さ」（sweetness and strength, "The Poetry of Michelangelo", ibid.）、或いは又、「死の意識と美の願望、死の意識によって昂ぶる美の願望」（the sense of death and the desire of beauty; the desire of beauty quickened by the sense of death, "Poems by William Morris", *Westminster Review* 90, Oct. 1868）といった、対象の本質を語る簡潔な格言的表現は、ペイターの詩的直観の発露でもあるが、寧ろ古代ギリシア哲学における教義の定則的表現に倣うものである。

例えばペイターがプラトーン論で引用しているように、動の学説としてヘーラクレイトス（Hērakleitos 前五四〇頃～前四八〇頃、イオニア、エフェソスの人）の「永遠の流動」（“the Perpetual Flux”）、静の学説としてパルメニデース（Parmenidēs 生没年不詳、前四五〇年に六十五歳ほどであったと言われる。南イタリア、エレアの人）の「絶対的一者」（“the One, the Absolute”）、「存在は無」（“Being...is...Nothing”）、「永遠の流動は永遠の静」（“perpetual flux is perpetual rest”）、或いは亦、数の学説としてピュータゴラース（Pȳthagorās 前五八二／五七一頃～前五〇〇／四九六頃、サモスの人）の「一即多」（the One and the Many）などのような直観的表現である。

修飾語句や節の多用でひとつの文の息が極めて長く、一見盤根錯節の趣を呈したペイターのこのゲルマン的な煩雑な文体に投げ込まれた、それ自体で完結し自律したギリシア彫刻のような簡潔な直観的表現は、闇の中の天狼星の如く輝いて見える。複雑怪奇なゲルマン的思考にギリシア的合理思考を持ち込み、複雑な柄をもつ織物の中に一点輝く光をともしそこに全体を輻輳収斂するような文体を生み出したのは、ペイターの独創である。この手法は西脇順三郎も倣っている。或る時（昭和四十八年）、『*Ambarvalia*』の「天氣」、

（覆された寶石）のやうな朝
何人か戸口にて誰かとさゝやく
それは神の生誕の日。

を例に挙げて語った。「覆された寶石」は言うまでもなく、キーツ（John Keats 一七九五～一八二一）の『エンディミオン』（*Endymion*）から借用した言葉“upturn'd gem”である。「詩というものは『覆された寶石』のような言葉がひとつあればそれでいいのだ。あとの部分はどうでもよい」と順三郎は言った。

ペイターの文学履歴は詩人として始まった。簡潔で凝集力のある表現への嗜好があった。しかしペイターはキリスト教を捨てると同時に詩をも捨て去った。それは二十一歳の時である。想像力豊かな散文に藝術的価値を見出だしたのである。本来的詩人の散文藝術は自づと凝集力があり、詩的散文となり長い散文には向かいないことがある。実際、ペイターのエセーは短いし、『想像の画像』（*Imaginary Portraits*）に見られるように一篇一篇の作品も短い。『享楽主義者マリウス』のような長篇でも多くの章で区切り各章は短いものになっている。無駄な修飾語句は徹底的に削ぎ落としている。この凝集力のある複雑に絡み合う詩的散文では、独立性の高い長文が敷き延べられている。工藤氏が言うように、「それらの文章は一つずつ独立して、自己の内部完結するので、つぎの文章は改めて出発しなおさねばならない」（『ことばと文学』「ウォールター・ペイター論考」）。従って、『マリウス』は各章もひとつひとつ完結した断片でありながら、なおその間に連続性をもった断片の集合体の趣を呈している。各章毎に中心を持ちつつ同質性によって繋がれた綜合体とも言うべきもので、この意味では遠近法のない絵画的表現と言える。工藤氏が『マリウス』の文体を論じて、絵巻物に譬えたことは肯綮に中っている。

三　連続性と絵画性

さて、一定の纏まりのある文章にしろ章節にしろ、それ自体で自律的に完結していながら、なおも一貫性を保持しているその連続性の実体は一体何なのか。ペイターは『想像の画像』の「宮廷画家の花形」（"A Prince of Court Painters"）の中で、主人公の画家ワトーが部屋の壁面を「部分と部分とが呼応し合っているひとつの『室内楽』のような」配置で模様替えすることを空想していたことが語られるところにも示唆されているが、先に述べたように、完結した部分部分がその同質性、ペイター的ヒューマニズムの観点からすれば共感によって呼応し合うことが、ペイターの連続性の意味するもののうちの重要なひとつではないかと考えられる。その連続性というものは、情緒的要素や知覚のあり方、気質的な繋がりに関わるものであろう。

この情緒性はペイターの藝術意志による理智的な産物でもある。ペイターは直接的な言及を避け、用心深い暗示的な表現を使うことが多い。更に日常的な言葉を避けて古い言葉を多用したり、或いは普段使われない意味で使ったり、古めかしい構文を取り入れたりしている。このような措辞は、工藤氏の言葉を借りて言えば、英語をラテン語のような死語の如く扱うものであり、その英語は日常的な言葉からは最も遠い対極的な位置にある（「ウォールター・ペイター論考」第二節「死と文学」参照）。この意図的な文体がその内容と相俟って、ぼんやりとした憧憬、倦怠感、憐憫の情、死の影、曖昧さを醸し出している。

日常性を脱した措辞に加えて、連続性に関わってペイターの絵画的表現法について述べておかねばならない。ペイターは相互に呼応する雰囲気を創り出すために、背景を平面的に細緻に描いている。創作物では筋を追うことよりも描写そのものが主体になっている。事実、ペイターの創作は筋らしい筋はないように見える。ペイターは「心の動きをそのままもっとも純粋に、もっとも直接的な方法で表現しようとして、一種の内面文学というほかないものを創始した」（同上第一節「文体」）という工藤氏の発言は、ペイターの作品が筋を主体としていないことを示すものである。背景描写とは主人公の環境を描くことであり、環境或いは自然とは主人公の存在の反映に他ならない。背景描写に重きを置くことは、手段の目的化を標榜し、過程それ自体が目的そのものであることに価値を見出だしてきたペイターからすれば、ごく自然な成り行きである。

添え物程度に理解されかねない背景を丹念に描写することは、現代詩において隠喩が単なる隠喩に留まらず表現そのもの、表現対象、即ち目的になっていることと同じ流れの中にある。隠喩が表現対象そのものになったとき、言葉は象徴性を脱却して、形相（エイドス）と物質（ヒュレー）の合致した存在としての実体（ウーシア）になる。現代詩のこの傾向について、工藤氏も、「詩における『曖昧』について」の中で、「詩人たちは言葉を直接、実在に結びつけ、ことばそのものに実在性を分担させようとした。（中略）ことばはこのようにして実在を直接、音や、色彩や、運動として表現することを学びつつある」（『ことばと文学』）と言っている。ペイターが背景描写に重きを置いたことは、以上の意味で、ヨーロッパの二十世紀藝術の魁となったことの證しと言ってよい。

四　理智と感覚のはざま

さて、筋の弱体化と背景の丹念な描写の優位というペイターの方法は、どんな効果をもたらすのか。通常、小説や物語を読むとき、話の筋を追う。しかし主人公の動きではなく、主人公の心の内面描写やその置かれた情況描写を細緻に描いた小説では、その細緻な描写は読み進めてもはっきりした輪廓は結びにくい。すぐれた作品であれば後に残るのはぼんやりした快感の名残でしかない。ペイター自身『ルネサンス』の「結語」の掉尾に、いみじくも、「藝術は人の許にやってきて、刻一刻時の過ぎ去るままに、最高の質そのものだけを惜しげもなく、しかもその刹那のためにだけ与えんとする」と言っている。

さればこそ、ペイター藝術は部分部分は理智的に明確に表現されていながら、全体としては漠たる快美の感覚を残す。理智的に配置されながらも情緒が纏綿する個々の物象の有様は、一見日本の伝統的藝術における取合せの美、或いは色面調和の音楽性に似ているようでさにあらず、細緻にして簡潔ならざる全体の印象は明瞭な輪廓を結ぶものではなかった。三島由紀夫もペイターの「微妙な寫實と透明な抽象性の入りまじつた」描写法について言っている。「彼の自然描寫の抽象性は、同時に薄黄に暮れてゆく風景の疲れた官能味を如實に示し、彼の作品すべての透明すぎるやうな抽象性は、同時に官能にぢかに接してゐて、物象の明瞭な輪郭は、最後まであきらかにされずに終る」（『貴顯』）。記憶にはっきり残るのは本質を要約した簡潔な詩的語句である。中心人物と背景とが有機的に繋がりあって一体を成すこの細緻な絵画的描写法を通して、死の意識の強かったペイターは、図らずも豊饒な詞藻がぼんやりとした印象だけを残しつつ薄らいでゆくその成行の裡に、人生のはかなさ、もののあわれの如きものの一端を表現するに至った。時に、「おもしろうてやがてかなしき鵜舟哉」（芭蕉）がもたらす情感に近いものをペイター藝術は持っている。文体は人の心の傾向を映す。ペイターの文体から漂ってくる憧れとためらいと遅疑逡巡は、まさにその心の有様を映しているものと言える。

ローマン派の詩人達は伝統に囚われず、個人の霊感を頼りとし、個人的感情の表白を詩の要に据えた。それがローマン派詩人達の限界であると同時に美の本源であったように、ペイターもキリスト教の権威が潰え去ってゆく十九世紀にあって、エピクーロスに倣い、アタラクシア即ち心の平静を守り、感覚に従って物を見、自然に服従することを旨とした。感覚と直観に真理のありかを見出だしたのである。ペイターは『享楽主義者マリウス』の中で、マリウスを通して己の心の内を、「もっぱら感覚の受ける現象を拠り所とせんとする決意はいかに自然なことか、感覚は感覚に関わっては私達を欺くことはあり得ないし、感覚に限っては私達は己を欺くことができない」（Chapter VIII, “Animula Vagula”）と語らせている。そこにペイター藝術の外枠が限られ、同時に美の源泉を掘り当てた。

ペイターとローマン派詩人の藝術上の姿勢における相通じ合うところを見れば、ペイターが遅れ馳せのローマン派最後の文人であることが首肯できる。そして、象徴主義でありながら、象徴性を脱却して言葉そのものを思想感情にまで昇華し得てもいる点で、ヨーロッパの二十世紀藝術の昧爽に立っている。ローマン派最後の人であると同時に二十世紀藝術の魁となったペイターは、いつも時代の節目に関心を寄せた人であったが、自分自身過渡期の人であり、そのような宿命として確固たる寄る辺のない不安定な状態に身を置かねばならなかった。

五 「もののあはれ」

ペイターにおけるもののあわれは、その藝術において生と死のはざまに漂う魂の薄明の世界を生み出した。この生と死のはざまと言えば、工藤氏は「『もののあはれ』について」と題して、『源氏物語』に開花したもののあわれの美、即ち「死の美学」の詳細な分析を通してその美の本質を闡明している。そのような理解と認識を踏まえて、工藤氏はもののあわれの心を英文学の一端にも、たといそれが日本のもののあわれとは同質ではないにしろ、それに繋がるようなものを認めようとする。日本のもののあわれに近づきを見せるペイターのみにとどまらず、それに先行するキーツやワーヅワス（William Wordsworth 一七七〇〜一八五〇）までをも絡めて語ってみせるのは、いくらかでも類似するこの種の美学の広がりを読者に瞥見させるものである。

キーツの場合は、Negative Capability（一八一八年十二月二十二日付、兄弟のジョージとトム宛書簡）という言葉にその種の美意識が現れていると言う。この言葉の意味するところは、キーツ自ら説明しているように、不確かなこと、不可解なこと、疑わしいことの中に置かれても、事実や理由を求めないでいられる心構えである。一言で言えば、泰然自若である。一方、ワーヅワスの場合は、wise passiveness（"Expostulation and Reply," *Lyrical Ballads*）という言葉にある。この世には力が働いており、それが自づと人の心に刻まれ、人の精神の糧になる。そのような糧を得るには、この「賢明なる受動姿勢」が必要であるという謂である。

この両者の言葉の意味するところの根本は、鎮まった心を鏡にしてそれを自然に差し向け開くことであり、工藤氏の目の付けどころはそこにあった。どちらの言葉もエピクーロスの、自然に服従すべし、感覚に従って見るべしという教えに通じるものである。日本では、「自己をはこびて萬法〔筆者註・すべての存在物〕を修證〔筆者註・證とはあかし或いはさとりの意〕するを迷とす、萬法すすみて自己を修證するはさとりなり。」（道元『正法眼藏』「現成公案」）という禅の教えがある。我を以て自然に働きかけるのではなく、我を抑えて自然を静かに受け容れることによってしか悟りはない。先の英詩人達も日本の場合もどちらも心を受容態に置くことに共通性がある。

もののあわれは無常の意識の裡に、人のいのちのはかなさに目を向け、いのちの滅びゆく様を眺めつつ、それが消え去る前の一瞬の姿を愛惜するものである。生と死とのあわいに目を差し向けその滅びのなりゆきを憐れみながら受け容れるのは心である。「もののあはれの美」は受容の心があって初めて生まれてくることを工藤氏は述べ、そのことは能動的な心の働きが強い西洋でも同様であることを、ペイターのみならずキーツやワーヅワスをも引いて示唆したのである。

憐れみの心を熟知した工藤氏は、翻訳においてもその効果を巧みに言い表す術を心得ている。一例を挙げれば、ペイターの「家のなかの子」の一節、"the little soul flickered away from the body..."は、或いは軽く読み飛ばされそうな文であるが、工藤氏は、「小さい魂は……肉体からゆらめき去った」と訳している。明確な心像に結晶しているその日本語の美しさと、そこに内包されている纖細な感情の美しさは秀逸である。「魂」を主語とする「ゆらめき」という言葉が「去った」という言葉と相俟って、「もののあはれ」の情感をあますところなく読む者の心にしみじみと響かせてくる。歌人らしい柔らかみを保ちつつ、きりりと引き締まった的確な表現となっている。

工藤氏の卓越した瑰麗なペイター訳が生み出されることによって、ペイターの作品は日本文学に貴重な貢献をした。三島由紀夫は工藤訳のペイターを読んで、先に引用したように、その文体に倣った短篇『貴顯』を書いたと推察される。実際、三島由紀夫の蔵書には、「家うちの子」（昭和五十九年の復刻版『ウォールタア・ペイタア短篇集』では「家のなかの子」）を収める昭和五年の岩波書店版『ウォルタア・ペイタア短篇集』が含まれている。三島の『假面の告白』についても、特にその第一章と第二章における回想された感覚的経験の平面的羅列という文体や何箇所かの表現内容について、「家のなかの子」を髣髴させるものがある。

ペイターは「家のなかの子」の中で、主人公が幼年時代の感覚的経験を偶然のきっかけで回想することによって、自己の自己たる所以を確認する様子を自分自身の体験を織り交ぜながら描いた。そしてこの作品はペイターのその後のすべての作品の萌芽の役割を担うものとなった。三島も『假面の告白』を単なる自伝的な回想とはしないで、ペイターと同じくひとつの虚構に仕立てながら、同時に自己関聯的（self-referential）なものにした上で、幼少期と少年期の感覚的経験を辿ることによって、自己の確認と内面整理をしてその後の藝術的発展の礎にしているように思われる。

虚構であると同時に自己関聯性という手法こそ、仮面という三島が採った藝術形態であるが、それは三島の独創ではなく、ペイターが用意したものに他ならない。ペイターと昭和の天才三島由紀夫とのこの橋渡しをした工藤好美氏の訳業の重要性は刮目に値する。

第三章　薤露

I　武田勝彦先生追悼

武田勝彦先生が昨年の平成二十八年十一月二十五日に亡くなられた。享年八十七歳。武田先生は日本ペイター協会の創設に関わった一人である。昭和三十六年十二月八日に新橋の「一松」という店に、先生を初め、田部重治、河口真一、西崎一郎の諸先生方が集まり、その翌年の二月十七日、芝公園の「音羽」において、工藤好美、西脇順三郎の両先生も加わり、日本ペイター協会を発足させた。

今年で創立五十六年目を迎えた日本ペイター協会の創設に関わった先生方の最後のお一人が白玉楼中の人となられたことは、少なくとも私にとっては感慨深いものがあり、ひとつの大きな節目に思われる。

先生は慶應義塾大学の講師を振り出しに、トロント大学、ハワイ大学、インディアナ大学等の客員教授を経て、早稲田大学政経学部の教授になられた。その他にヴァンダービルト大学の客員教授も務められた。出身大学は上智大学経済学部であるが、最初は慶應大学の仏文科に入学されたと伺っている。戦後の日本の行く末を考えた上で、上智の経済学部に入り直したのだと語っておられた。その関聯からか、武田先生は慶應の出身だった明治学院の繁尾久教授とは昵懇で、繁尾教授とは共著で『サリンジャーの文学』（文建書房刊）を出しておられる。

比較文学者として名を成され、その立場から川端康成、三島由紀夫、立原正秋、永井荷風、井上靖等々、数多くの作家について評論をものされた。しかしその手法には余人の追随を許さぬものがあった。資料を隈なく博捜するのみならず、現地に赴いて作家の足跡を辿り、関係機関にも足を運んで資料を集める徹底ぶりであった。『漱石　倫敦の宿』（近代文芸社刊）はそうした実證主義に支えられて生み出された労作であった。その確信から他の漱石研究の誤りを指摘されるのを聞いたものだった。

武田先生は幾多の作家を扱っても、最終的には漱石に一番関心を寄せられたようである。平成十二年一月十四日、早稲田の三号館四〇二号室に満席の聴衆を集めて、スノードン教授（Paul Snowden）の司会の下で行なわれた最終講義の題目も「パリの漱石・ロンドンの鷗外」であったことが思い起こされる。晩年、怪我や体力の衰えにあらがいながらもなお、月刊誌『公評』に散発的に寄稿されていたのは漱石論であった。

実證主義に裏打ちされた先生のペイター論も、裨益するところが大きかったことを実感しているペイター研究者も少なくないはずである。『比較文学の試み』（創林社刊）に収められたペイター論はその一例である。その研究を発展させて、平成元年十一月四日、副会長小林定義先生の専任校島根女子短大で開かれた第二十八回日本ペイター協会年次大会で、武田先生は「Pater の日本文学への投影」と題して講演された。ペイターと関わる数多くの日本の文人が取り上げられた。平田禿木、上田敏、三島由紀夫にとどまらず、その他、夏目漱石、芥川龍之介、厨川白村、中原中也等々に及ぶものであった。これまでに類を見ない研究成果の発表であり、極めて貴重な講演となった。この松江大会は、小林定義先生の懇篤のもてなしにより参加者に深く心に残る大会となったが、武田先生の講演はそれに相乗的効果をもたらすものであったことも附言しておきたい。しかし、これが武田先生が日本ペイター協会に姿をお見せになった最後の機会となった。

先生は厖大な資料の中から様々な事実を探り出す特殊な勘と嗅覚を持っておられた。ジャーナリスティックな才能に恵まれておられ、対象の未知の領域に踏み込んでその本質の根源を闡明するというよりは、博捜して探り当てた事実を通して対象の本質の上澄みを掬い取る手法を駆使された。このジャーナリスティックな才能に由来する、肩の凝らない語りのうまさがあったと同時に、この才能を生かして月刊誌『知識』の編輯者を務めておられたこともある。

亡くなられた日が十一月二十五日と知った時、真っ先に思い浮かんだことは、三島由紀夫の命日と同じであることだった。武田先生は時々三島のことを話題にされたものである。実際、先生は三島とは交流があった。青山斎場で執り行なわれた伊藤整の葬儀には、三島、そして『金閣寺』の英訳者であるアイヴァン・モリス（Ivan Morris 一九二五〜七六）と銀座で待ち合わせ、三人

武田勝彦先生（中央）、福田陸太郎先生（左）、筆者（右）、平成11年5月、講演をされた東京成徳短大にて（筆者撮影）

で連れ立って出かけて行かれたこともある。三島の自決した昭和四十五年には銀座東急ホテルで三島と三十分ほど会って話をされたが、それが最後の面晤となった。命日が重なったことは何か不思議な因縁が感じられもする。

武田先生は社交家で交友関係が幅広く、また後進に対して面倒見のよい親切心を持っておられた。その積極的で献身的な姿勢から日本ペイター協会の草創期の重責を担われたのみならず、ペイター研究の発展にも大きく寄与された。ここに先生のその御貢献に謝意を表するとともに、御冥福を祈る次第である。合掌

＊武田勝彦昭和四年五月四日生、平成二十八年十一月二十五日没、享年八十七歳

II　薤露　加藤郁乎先生

とうとう白玉楼中の人となられてしまった郁乎先生。日本の伝統的文化を守る中枢におられた方が亡くなられてしまったことは、天壽とは言え、まことに惜しまれます。

先生は伝統文化の守り手でありながら、開かれた革新的保守でした。先生が現代詩人として尊敬し師事された西脇順三郎先生が日本とヨーロッパを繫ぐことによって日本現代詩に劃期の偉業を遂げられたように、先生は俳句の分野で西洋、殊にイギリスの唯美主義と繫がる俳句の世界を築き上げることで、他の何人も成し得なかった偉業をものされました。西脇先生が現実と文学の世界とを重ね合はせることによって、幻影という独自の詩の形態を生み出したように、先生も現代と江戸時代とを重ね合わせることで、江戸風流という幻影的な虚構の世界を構築されました。現在が過去であり過去が現在であるような二重性の生み出す幻影的な虚構性は英国唯美主義の流れを汲むものです。

西脇先生はかつて、先生のことをダブリンのダンリンと言って、ジョイスになぞらえました。モダニストのジョイスは英国唯美主義の流れから現れてきました。ダブリンのダンリンという言葉は、先生の藝術が英国唯美主義の手法に繋がっていることの含みがあります。先生の幻影としての江戸風流は確固たる現実認識と深い歴史意識との交差するところに成り立っています。

取合せの妙は日本の藝術の生命線ですが、先生の場合は、「人は意氣肴はかつを晝の酒」に見るような粋の形としてそれが生かされました。それ自体の美しさにしか意味を持たないその粋なる形に深い歴史意識を働かせ、立体的な思考の奥行きを持つ形態を生み出されました。歴史意識に支えられた純粋な形が魂そのものの現れとして郁乎藝術を形作っています。この藝術形態はこれまでに例のない先生の革新的独創性を保證するものです。

加藤郁乎先生63歳当時（加藤通江夫人提供）

「虚にして往き實にして歸る」を要諦とする先生の江戸風流は開かれた藝術観として欧米でも理解される兆しが見えてきました。先生の訃報に接したフランスやルーマニアの著名な俳人達から御遺族へと私の許に、郁乎先生に捧げる俳句を添えてお悔やみの言葉が届けられました。俳句のみ紹介いたします。

先づは、欧米で著名なルーマニアの俳人であり俳画家のイオン・コッドレスク博士（Dr. Ion Codrescu）。

calm morning—
I try to catch the beauty
of this faded iris

（静かな朝――
　しほれしこのあやめの
　美しさをとらへん）

コッドレスク博士は深い感動を込めて、「加藤郁乎氏の俳句は私達が注意を払い深く鑑賞するだけの価値を持っている」と評価をしてきました。
次に俳句評論『プロック』（*Ploc*）を主宰し、そこで郁乎先生の俳句を論じたフランスのサム・カンナロッツィ氏（Sam Cannarozzi）の俳句です。

blooming chestnut trees
shivering in the spring winds
cleansed in the cold rain

（春風にゆれ
　氷雨に洗はれ
　　栗の花）

最後に、郁乎俳句をフランス俳句協会の俳句誌『ゴング』（*Gong*）で最初に論じてくれた元フランス俳句協会会長ジャン・アントニーニ氏（Jean Antonini）の寄せた俳句は、

Japan far away
one haiku gathering us
next to the death
（日本は遠くも
　死に寄りて一句が我らを
　　ひとつにし）

御冥福を祈りつつ、これを以て先生への最後のお別れの言葉といたします。

＊加藤郁乎昭和四年一月三日生、平成二十四年五月十六日没、享年八十三歳

III　福田陸太郎先生のこと

一　御歌集『瀬音』

私はその頃、英国ケンブリッヂにおり、平成十八年二月九日付の衛星版讀賣新聞を一日遅れの十日に開いた。ロンドン市内と違い、ケンブリッヂにはロイヤル・メールの郵便で届けられるからである。新聞を広げて間もなく、死亡広告欄に「福田陸太郎」という名があるのを見つけて、私の目の動きが止まった。死因は大動脈瘤破裂で、既に四日に亡くなられていたことを知った。大正五年二月九日生まれの先生は、数え年では卒壽を超えたばかりの九十一歳、満年齢で言えば九十歳まで五日を残して八十九歳の生涯を閉ぢられた。

まだ一ヶ月半ほど前、先生とは電話や手紙のやりとりをしていたばかりであった。師走も押し詰まった頃、急ぎの用があって電話をかけた。聲を聞くだけですぐわかるはずの先生は、四月以来、久々に聞く電話での私の聲、しかも海外からの私の電話を予期しておられなかったので、一瞬戸惑われた。重ねて名前を言うと、先生は私が帰国したと思われたのか、「今どこにいるの」と訊かれた。「ケンブリッヂです」と答えると、「そう、それはわざわざどうも有難う」と、嬉しそうな先生の聲が私の耳に快く響いてきた。これが私にとって、はっきりと記憶に残る福田先生の最後の肉聲となった。

用件の後は、それに関聯した雑談となった。先生は今、東京教育大学時代の教え子で、今パリにいる筑波大学の竹本忠雄氏（筑波大学名誉教授）と共に、皇后陛下（現上皇后陛下）の御歌のフランス語訳の仕事をしており、来年（平成十八年）フランスで出版されることになっている。ただ今回は仏訳は竹本氏で、監修の方を自分が担当することにしたとのことだった。

この皇后陛下の御歌集『瀬音』の仏語訳については、今年（平成十八年）一月末、産経新聞のホームページ上で、パリのシグナチュラ社（Signatura）から出版されることを知った。仏語訳監修は作家のオリヴィエ・ジェルマン＝トマ（Olivier Germain-Thomas 一九四三〜）と公表されていたが、福田先生は裏方に回られ、御歌とその仏訳に目を通されて綜合的な監修をされたようである。先生を筆頭に三名への篤い謝辞を巻末に掲げて、仏語訳 *Sé-oto* は今年（平成十八年）五月に上梓された。

福田先生は昭和六十一年に宮中講書始の儀で、「比較文学の進展について」と題して、昭和天皇に御進講なさったり、平成三年には天皇皇后両陛下の御歌集『ともしび』の英訳本に関わられ、皇室の英語関係の出版物には何かと関わりが深い。このたびの皇后陛下の御歌集の仏語訳監修もそうした縁と流れの上にあるものである。国際的に名を成した比較文学者として、サン＝ジョン・ペルス（Saint-John Perse フランスの詩人、一九六〇年ノーベル文学賞、一八八七〜一九七五）やカール・シャピロ（Karl Shapiro アメリカの詩人、一九一三〜二〇〇〇）など欧米の詩人を、翻訳を通して日本に紹介されたのは、日本文化を肥やす国内向けの功績であったが、それに対して、世界に向けた先生の仕事にも等しく刮目すべきものがある。

二　みやびの心

日本文化の精髄、最高の美的価値は、宮廷文化の「みやび」にあり、そこから幽玄、わび、さびといった美意識も派生してきた。古来、歌は日本文学の根幹を成すものであり、日本文化の原型である。天皇はみやびをいのちとするその歌を体現する存在なのである。原型にして新たなる、日本文化の精華としての天皇皇后両陛下の御歌の英訳に携わってこられた先生は、日本文化のみやびの心を英語圏の人々、或いは英語の読める他言語を母国語とする人々に伝える努力をし、日本文化の外的発展に寄与されたということにおいて、極めて重要な仕事をされた。

ここに具体的な一例を紹介しておきたい。能登の羽咋出身の福田先生は、同市にある能登國一之宮氣多（けた）大社で昭和天皇が詠まれた御歌（みうた）を英訳されている。昭和天皇は昭和五十八年五月二十二

日に氣多大社の社叢「入らずの森」を御覧になられた時、

斧入らぬ　みやしろの森　めつらかに
　からたちはなの　生ふるを見たり

と詠まれた。これを記念して大社にはこの御製の石碑が建てられた。平成二年に三井秀夫宮司から依頼され、推敲の末、八年後の平成十年に、

Going into the unaxed woods
Of the shrine
We found—how rare!—
The Karatachibana
Growing there

　His Majesty the Emperor

と英訳し、外国人参拝客の神社案内に役立てられている。福田先生はこの御歌をとても良い作品

だと思いながら英訳されたそうである。

先生の最後の仕事が皇后陛下の御歌の仏訳の監修であったことは、詩人福田陸太郎の生涯の畢りにまことにふさわしい花を添えることになった。

三　福田先生と私

私事になるが、福田先生と私との出会いには不思議な縁があった。私は昭和六十二年九月に永田書房から『ペイタア――美の探求――』を上梓した。その二ヶ月後に福田先生も同じ永田書房から『東西相触れるとき』を出版された。永田書房を訪れていた先生は、『ペイタア――美の探求――』があるのを見つけて、それを見せてくれないかと所望された。永田書房主人の永田龍太郎氏は、著者がまだそれを手に取って見ていないのでと言って、その申し出を断ったそうである。私は後日その話を永田氏自身から聞いた。福田陸太郎先生の名は、その著作が多いだけに、私自身先生の著書を読んでいて知っていたのだが、永田書房での逸話を聞いて以来、偉い先生の存在が身近に感ぜられるようになった。

福田先生は大学で十九世紀文学を中心に勉強されたことにもよるのであろうが、最後までペイターには常に関心を持っておられた。平成三年六月一日、福田先生は小千谷市民会館で開かれた「西脇順三郎先生を偲ぶ会」で講演された時、帰りは清水康弘氏が自家用車のスカイラインを運転し、山本清氏とともに、先生を上越新幹線長岡駅まで見送った。私も山本・清水両氏から同乗を勧められて、先生と一緒に駅まで送って頂いた思い出がある。その車中、先生はあの拙著を引き合いに出しながらペイターのことを話題にされた。あまつさえ先生が文学上の師とされてきた西脇順三郎はペイターと関わりが深い。先生と西脇順三郎との対談（『西脇順三郎対談集』薔薇十字社刊）でもペイターのことが話題になっている。先生が見知らぬ著者のものであっても、ちょっと覗いてみたいと思われたのは、こうした関心からであろう。

四　順三郎の詩「夏の日」

十年余り詩作から遠ざかっていた西脇順三郎に、昭和二十一年、先生及び東京文理科大學時代の同級生高村勝治、黒沢茂の三人で共同編集する『ニウ・ワールド』への詩の寄稿を依頼し、戦後の詩作活動のきっかけを作った福田先生自身の詩作の出発点は、西脇順三郎にあった。昭和十五年に東京文理科大學を卒業した後は、そこの附屬中學校の教壇に立った。「何だか物足りない毎日」を送っていた或る日のこと、大學の文藝部の雑誌『學藝』に、「夏の日」（『近代の寓話』収載）を見つけた。西脇順三郎は昭和九年以来、福田先生の恩師福原麟太郎（明治二十七〜昭和五十六年）の要請で東京文理科大學とその下位の東京高等師範學校へ講師として出講しており、昭和十一年六月発行の『學藝』にこの「夏の日」を発表している。福田先生は連続してこれらの両方の学校で西脇順三郎から教えを受けてはいたのだが、鬱々と満たされない日々を送っていた附属中學教員の時にこの詩に出会ったという。そうならば、先生は当時この雑誌のバックナンバーから「夏の日」を見出だされたことになる。この作品が衝撃的な瑞々しい感動を与えた。

この地球のハンドルが
サファイア石の天空に、
花と葉の海に尖(とが)る時、
人間の心が地上の鏡となる時、
僕のいた学校の庭も、見よ
ツグミの羽と雛菊の白い目で一杯になった

この詩の「さわやかな世界にうっとり」し、こういう詩の世界なら、「能登半島の砂丘から日本海を眺めていた田舎出」（平成十二年八月十四日付『朝日新聞』夕刊）の福田青年にもよくわかった。そこに己の築くべき文体の啓示を受けたのであった。西脇詩への心酔が、やがて『ニウ・ワールド』への原稿依頼へと繋がったものと思われる。

五　西脇順三郎ノーベル賞候補への推薦

昭和三十二年のこと、エズラ・パウンド（Ezra Pound 一八八五〜一九七二）は西脇順三郎をノーベル文学賞候補に推薦したらどうかと、パウンド詩の訳者岩崎良三に、そして福田先生にも同様の聯絡をしてきた。そのきっかけは、オーストラリアの詩誌『エッヂ』（*Edge*）第五号に寄稿した順三郎の英詩"January in Kyoto"をパウンドが読んだことだった。この詩人はたまたま『エッヂ』の編輯長ノエル・ストックの助言者の役を引き受けていたのである。そうして西脇順三郎は二度、ノーベル文学賞候補となる。昭和三十六年に谷崎潤一郎と川端康成、翌三十七年には川端康成、三島由紀夫と共に名が挙がった時である。

福田先生はその頃のことを振返って、スウェーデン大使館へ出向いて手続きの仕方を調べ、推薦書類の内、履歴書はすべて自分で英文タイプライターで作成し、ノーベル賞選考委員会へ送ったと言っておられた。先生は西脇順三郎と福原麟太郎の二人を英文学の先達として、亦前者は詩人としても、最も尊敬しておられたが、このように人に尽くす努力を惜しまれない方だった。昭和二十八年、筑摩書房の〈現代日本名詩選〉の一冊として出た『あむばるわりあ・旅人かへらず』のために、初めて西脇順三郎の年譜を作成したのも、福田先生であった。人に尽くす先生のこの奉仕的な或いは教育者的な精神の努力は、特定の人達のみに関わることで自分の利得に繋げるという世俗性を超えており、人に尽くすその精神には偏りがなかった。さればこそこの精神の恩恵に与った人は多い。

六　淡交と穏やかな温もり

福田先生は瀟々とした生き方を好まれ、集中はするが、常に対象に或る一定の距離を保ち、それに囚われて自己がそこに埋没することを警戒された。感情よりも理性が立ち勝っていたのである。人間の存在を「宇宙の中の塵埃」と捉え、無数の「星の中の一つである地球の、そのまた片隅に、束の間の生命をもつ自分は、全く塵埃にも等しいもの。あの人があんなことを言ったからくやしい、なんていきり立つのはやめにしようではないか」(「偶感モノローグ」『小さな蕾』昭和四十七年六月号)と考える。順三郎同様に、人間をつまらない存在と見なし、小さなことに拘泥することの愚を悟っておられた。交際も瀟々として、宴席の二次会には参加せずに帰り、情緒纏綿とした付合いは避けて、むしろ時を節約し勉強の方にそれを振り向けられたようである。しかしそれはいたづらに時間を惜しむということではなかった。勤務や会合には人よりも先に来て、退勤時刻になってもすぐには帰らず、用がないことを見計らって、三十分か一時間後に帰ってゆかれた。それまでは端然と机に向かって本を読んでおられるのが常だった。急ぐことは見苦しいという日本的な美徳をごく自然に見せておられた。

淡交という言葉がある。こだわりのないあっさりした、それでいて穏やかな温もりを失わない交わりが福田先生にはあった。「穏やかな温もり」は先生を詩人たらしめる重要な要素でもある。淡交という生き方は先生の文体に本質的に関わってくる。

私はかつて福田先生の第四詩集『カイバル峠往還』の書評（『図書新聞』平成九年一月二十五日）で、「おだやかな言葉の連鎖の中に詩人の魂の息づかいを感じさせる文体を作り上げている」と評した。俳諧でも移り、匂い、響きといった付け合いが文体上の生命線となっているが、日本の詩歌は、元々響き合う言葉の連鎖と心象の聯想作用を重んじ、生いては枯れる野の草、或いはかつ消えかつ結ぶうたかたの如き世の無常性、即ち流動性を形象化するところに特徴がある。この日本的流動性を本質とするところに西脇詩の世界が築かれているように、福田詩も滄々とした流動性にその本質を見せている。そして散文に関しても、簡潔を旨とし、くどさと冗漫を嫌った。深く潜って浅く出る日本藝術のあり方に即した表現をものされていた。

西脇順三郎の散文について、「てらいがなく、自然体で、流れるように筆が運ばれ、読んでいて気持ちがよい」（「西脇順三郎と英文科」『日本女子大学文学部英文科百周年記念誌』）と評しておられたが、福田先生は、尊敬する師の内にこの文藝の理想と模範を見ておられたのである。

ゴッホは日本の藝術のあり方、ものの見方を鋭く見抜いて、日本人が「研究するのはたった一茎の草だ。しかし、この一茎の草がやがては彼にありとあらゆる植物を、ついで四季を、風景の大きな景観を、最後に動物、そして人物像を素描させることになる」（『ファン・ゴッホの手紙』二見史郎編訳・圀府寺司訳）と言った。福田文学はこのような形態に属する世界であった。俳句の中の単なる季語が聯想の波紋を重ね、大自然、宇宙へと有機的連鎖を広げてゆく力を持っているように、先生の簡潔なエセーの中の何気ない言葉の裏に広い世界が隠れていることを感じさせられたのは、恐らく私一人ではあるまい。

先に引用したゴッホはまた、「日本人は本能的に対比を求める」（同上）と言ったが、福田先生は先にも触れたように、宇宙の無限と人間の存在の小ささの対比が常に意識の中で働いていた。その対比と、さらさらと流れてゆく事象の流動性の強い意識が、福田先生を世俗の偏見から自由にしていた。人であれ作品であれ、偶然的要素を排し対象の本質を以て評価する客観性の基盤は、そのような意識にあったのであろう。詩人川口昌男（昭和五年～）も、土曜美術社版『福田陸太郎詩集』の「解説」で、世俗の偏見に囚われぬ詩人の闊達さに注意している。

七　最後の手紙

昨年（平成十七年）十二月二十五日付で、福田先生からいつになく長い手紙をいただいた。この手紙には亦、十二月二十日発行の詩誌『地球』第百四十号に寄稿された「二十世紀の詩に向けて――カール・シャピロの思い出と共に」の随想の写しが同封されていた。私がケンブリッヂにいた関係から、自づとケンブリッヂの思い出が縷々と綴られていた。ソルボンヌ留学時代にオーストラリア人の友人を訪ねてキングズ・コリッヂ（King's College）に行ったこと、昭和四十七年にケンブリッヂ大学で開催された現代語学文学国際連合（FILLM: la Fédération Internationale des langues et littératures modernes）の大会で総会講演をしたことと、それにまつわる思い出などである。この大会で第八代会長に選出されたが、ケンブリッヂのセント・キャサリンズ・コリッヂ（St Catherine's College）のスタンレー・アストン教授（Stanley Aston）が事務局長となり、この有能な事務局長の助けを得て、ヨーロッパや更には南米にまで色んな会議に出席したり、FILLMのシドニー大会を主催したりして、会長職を全うできた。今スタンレー・アストン教授がどうしているか、その消息を知りたいと言われた。

どこか寂しげなこの手紙を読みながら、私はつい先日川口昌男氏から手紙をもらい、その書面には、十二月半ば（平成十七年）、福田先生から電話があり、親友のカール・シャピロも亡くなり寂しいと言っておられたと書かれていたのを思い起こしていた。同封されていた随想にも、「私の友人、シャピロを失って私は悲しい」と、書いておられる。感情を露わにする表現は避けてこられた先生にしては珍しく、ゆくりなくもこぼれ落ちた言葉だけに、読む者に深く訴えかけてくるものがある。先生は死の近いことを予感しておられたのかもしれない。

二月四日、福田先生は身体に異常を感じ、自ら救急車を呼び、自ら家の戸締まりをして病院に運ばれた。しかし二つの病院で断られ、やっと三軒目の、自宅からは遠い板橋中央病院で受け容れてもらったという。

帰国も近くなってきたのでセント・キャサリンズ・コリッヂでその後のアストン教授の消息を

尋ねようと思っていた私は、その突然の死に先生の願いを果たせずにしまった。

＊福田陸太郎大正五年二月九日生、平成十八年二月四日没、享年九十歳に五日足らず

a simple form and the farther he goes away from reality, the closer does he get to true nature of things.

Furthermore, apparently there sometimes happens a discrepancy between what a haiku means and the painting attached to it in his haiga, but, in spite of that, his haiga painting actually speaks something mysterious to the viewer. Such a leap plays an important role along with a blank in his haiga. Even though imagery and haiku he shows us look as if they had not direct relationship to each other, both of them internally correspond closely to each other. It is this apparent break that brings forth one of the vital aspects of beauty in Codrescu's art and works to evoke various associations in the viewer, even letting him catch a glimpse of the depth of nature.

His haiga, in which haiku and painting inspired by the haiku itself work in concert, makes visible music as an organic unity, with calligraphy helping to produce the rhythm of life that permeates the whole of haiga.

Motion of life assuming tranquillity is the nature of his style, in which he has established his own original and refined haiga, at once in common with and different from Japanese haiga; for the tranquillity is brought forth by the two-dimensional plane depiction that is the Japanese traditional way of painting without perspective.

Since, unlike ordinary paintings with *gasan*, haiga requires *haimi*, or sophisticated wit and unconventionality peculiar to haiku, unworldliness is the pivotal element in haiga, in which essential is witty and refined expression that results from the deep insight into nature. And this insight must be quickened by sympathy and compassion for all living things. *Haimi* is, as it were, elixir with which the haiga artist etherealizes sorrow and pain of life in a witty form of art, in which the spirit of *fūryū* is realised.

What is most required of a haiga artist is to regard man as part of nature. Such a view of nature of Codrescu's was nurtured in his childhood by his delicate susceptibility to natural things surrounding his small native village, Cobadin in the vicinity of Constanța. Through his communion with natural things around him he must have merged himself in nature. Without such experience in his childhood, he could not have had profound sympathy with Yosa Buson. Codrescu has expressed his view of nature in the juxtaposition of a poem in its calligraphic sharp forms of letters and a picture referential to the poem, which is painted in subtle monochrome gradation on the blank surface. And the painting has nothing to do with perspective.

The world of Ion Codrescu's haiga is that of rest containing motion, or motion containing rest, along with self-effacement within the limits of the possible, in which he absolutely transcends the European traditional symbolism. He has turned European art of symbolism into art of relationship after Japanese traditional art. What he tries to express in his haiga is essence of all existence. The more he abstracts real substance from his object and reduces it into

IV Codrescu's Art of Relationship beyond the European Conventional Symbolism: Ion Codrescu's *HAÏGA*: *Peindre en poésie*

In Japan there is a tradition of adding a short poetic piece to a painting from of old. The short poetic piece is called *gasan* in Japanese. For instance, *gasan* by Kūkai (空海 the founder of *Shingon* Buddhism, 774-835) is known as one of the oldest examples. *Gasan* was added by Kūkai to the portrait of his Chinese master, Hui-kuo (惠果746-806), in the Tang period, which had been presented to him by his master.

In the Edo period, such short poetry as hokku, senryū, or waka was often added to ukiyo-e as *gasan*. Incidentally, though it may be said that hokku is substantially independent in itself, it is formally a constituent part of *haikai*. In the succeeding Meiji period, Masaoka Shiki (正岡子規1867-1902) made hokku independent of *haikai* as haiku. Haiga, the integrated form of art consisting of painting, poetry and calligraphy, which you may call artistic trinity, is one of artistic forms peculiar to Japan, as a derivative, an independent form of *gasan*.

Haiga began to appear conspicuously in the mid-seventeenth century, or in the early Edo period, as *haikai* flourished. It is said that haiga reached completion in Yosa Buson (與謝蕪村1716-83), for whom Ion Codrescu has the deepest respect as haiga master.

is nothing; nothing is form," which demonstrates the substance of phenomena. Codrescu's expression seems to be produced from such realisation. Couchoud regarded *haikai* as a resumption of "a vision, directly addressed to the eye," and in the line of his view of *haikai*, Codrescu has developed his notions of haiku and haiga, realising that visible things are but temporary visions, as implied in the haiga paintings of this volume.

Codrescu always paints haiga after the method of *renku*, that is to say, leap and continuity. And the leap looks like severance, and yet maintains hidden continuity. This method takes effect as far as the artist has consciousness of the continuity of nature based on organicism. His imagination is supported by this method of *renku*, and it is through this imagination that he paints haiga, seeing through to the heart of individual pieces of haiku.

What differentiates his haiga from Japanese one is his view of man, which is distinctly reflected in his haiga. The view of his brings a lively motion into his haiga, which helps Codrescu create his original haiga.

On the whole, it may be said that Codrescu's haiga paintings collected in this volume shows that his art has reached consummation with his artistic spirit at its height.

flight without being bound by the religious fetters and shackles, as if he were an ancient Greek, nay, an ancient Dacian, with a view of religion based on organicism. What is distinctly characteristic of his view of the world is the very thought of organicism, on which his art is based, and so he sees the world from the point of view of the continuity of nature. This innate tendency of his way of thinking must have made it easy to accept Japanese view of nature along with haiga and haiku. As Couchoud said that "whether Buddhist or Shintoist, he [a Japanese] believes himself to be created of the same essence as beasts," so Codrescu sees man just as part of the organic system of the universe.

It should be noted that Codrescu was instructed in sumi-e and haiga by Nishiyama Ryūhei in 1990, and in *renku* by the late Professor Fukuda Shinkū at Kokushikan University in 1998. Such Japanese art as sumi-e, haiku and *renku* has been all created with the thought of organicism and the view of the continuity of nature as its breeding ground. Through the instructions of the two mentors, Nishiyama and Fukuda, Codrescu realised the essence of haiku, *renku* and *haiga*, the effect of which has permeated the 75 haiga paintings contained in *Something Out of Nothing*.

The objects which he treated in the present book have been all perfectly turned into artistic abstracted forms. What does this abstraction mean? What Codrescu has represented here look like transitional forms in the process of etherealization of solid objects. His abstracted forms may suggest transfiguration of phenomenal forms into nothingness. There is in *Prajñā-paramitā-sutra*, or *The Wisdom Sutras*, the well-known words of great importance, "Form

Chamberlain, who made morality the first aim of art, did not necessarily appreciate Japanese literature properly, as he said that Japanese national character was "fanciful but not imaginative, clever but not profound and took" life easily and trifles seriously, and that "the Japanese production is isolated and, fragmentary." It was Couchoud that overturned this view of Japanese literature and, seeing art as art itself, caught its substance so exactly that it might safely be said that he laid a foundation for the later prosperity of haiku in the West.

Couchoud, finding Japanese art in common with certain phases of Greek art, discerned in *haikai* "a winged concision," and regarded it as "an indefinite sympathy" through the eye and "impassioned contemplation." This precursor in French haiku, knew that it was haiku that overlooked a vast expanse of the world through a little window, and that the eminent *haijin*, or haiku poet, always conscious of the continuity of all things in nature, had an insight into the substance of the universe through trivial things.

Unlike Chamberlain, Couchoud appreciated Yosa Buson (1716-83) more than Bashō, because he found value in picture-like visuality and deep feelings shown in Buson's *haikai*. And Ion Codrescu has the greatest esteem for Buson as a haiga painter, though he most appreciates Buson's and Bashō's hokku equally, as he still reads them repeatedly. The reason why I remarked as above is that I think that Codrescu is in the line of descent from Couchoud in the view of haiku and that of nature. Codrescu shares Japanese view of nature exactly as well as Couchoud.

Codrescu has an ability to think freely and let his imagination take

III Codrescu in the Line of Descent of Couchoud, the Eminent Appreciator of Haikai: Ion Codrescu's *Something Out of Nothing*

It was Lafcadio Hearn (1850-1904) who said, "Poetry in Japan is universal in the air." Apropos of men of letters who introduced *haikai* to the Occident in the era of Meiji (1868-1912), we are reminded of Basil Hall Chamberlain (1850-1935) from Britain and Paul-Louis Couchoud (1879-1959) from France apart from Hearn.

Chamberlain, who is known as the first translator of *Kojiki* into English, published "Bashō and the Japanese Poetical Epigram" in *Transactions of the Asiatic Society of Japan*, Vol. XXX: Part II in September, 1902. Dwelling on the history of *haikai,* he quoted 206 pieces of hokku of his own translating into English in all. The whole work of his is of high value, and, what is more, the translation of hokku shown in it is very excellent. Chamberlain, who describes Matsuo Bashō (1644-94) as "the greatest of all Japanese epigrammatists," quotes 35 pieces of hokku by Bashō, the highest number among the pieces quoted.

On the other hand, in 1906, four years after the publication of Chamberlain's essay, Couchoud published the essay "Les Haï-Kaï, Les Epigrammes Poétique du Japon" in *Les Lettres*, which he owed to earlier studies by Chamberlain and Claude-Eugène Maitre (1876-1925). This essay was included in *Sages et Poètes d'Asie* (1916).

from my neighbour's garden—
I forget my anger.

Thus Spinei, giving himself up to and merged into nature, has realised *fūryū*, or aestheticism in Japanese style, and at the same time was brought to him the self-knowledge of his own based on organicism.

of nature.

And when he and his companion happens to see the moon washed up in a mist and appear in the sky, the drift of their conversation has necessarily changed of itself, because, their soul purified by the divine brilliance of the moon, they have not only changed the subject of their talk, but also begun their internal dialogue with the moon in their mind. They, feeling at one with the universe, have chanced to be blessed with the moment of supreme bliss.

in a mist of fog
the washed-up moon—
we change the subject

Now, the fragrance of blossoms wafting in from the vines, Spinei and his companion subdue the voices of their talk lest it should damage and take away the fragrance. Thus their whispering talk has come to be filled with the fragrance.

we talk whispering—
the perfume of the pollen
from the vines

And again the fragrance of flowers urges the haiku poet to cast off himself to be merged into nature, which makes his pent-up emotion pass away with his soul purified:

lilac perfume

thought that the universe, which is like a transparent crystal ball, suspended in the midst of nothing and closed in indifferently on every side upon itself, neither has been generated, nor is perishable, and exists in the eternal present, as is thought in Buddhism; phenomena are just ripples that temporarily rise on the surface of the absolute being, or "Pure Being," which immediately restores the dead level, or equilibrium. Thus in this thought phenomena are regarded as nothing, as in Buddhism, the cardinal point of which is that "form is nothing; nothing is form."

Spinei's depiction of this scene of the moon reflected in each pond unexpectedly reminded the present writer of Buddhistic and Parmenidean thoughts. This visionary scene he presents to the reader would make him feel the beauty of absolute rest in self-effacement, arousing the sense of emptiness of this world at the same time.

Incidentally, the similar scene to Spinei's has often been the theme of Japanese traditional poetry since the distant past. The theme is called "tagoto-no-tsuki" in Japanese. *Tagoto-no-tsuki* means the scene of the moon reflected in each of the terraced rice paddies on the hillside. Spinei's idea expressed in this haiku has coincided with that in Japanese traditional poetry. Spinei appears to be on his way to self-effacement, with his mental state subtly reflected in the scene depicted in this haiku, having made himself become one with nature through the expression of the scene of self-effacement. He has realised the beauty of rest. Spinei, giving himself up to nature, may well have found himself in the mental state of ataraxia. In quest of such a state of mind, he always tries to listen to the inaudible voice sober the peasant.

Spinei represents beauty of the natural world where various living things exist together, correlating to each other organically, as well as beauty of juxtaposition. It is nature that will swallow all conflicting things at a gulp and make them a harmonious whole. Apparently the three of those heterogeneous living things being indifferently juxtaposed to each other, we sense idyllic, melodious beauty here.

The ancient Greeks pursued the beauty in which motion and rest were harmonised, as typically represented in Myron's *Discobolus*. On the other hand, Spinei often shows us beauty of rest as well as beauty of harmony of rest and motion, whereas Europeans generally have an inclination for beauty of motion.

so many ponds
on the plain—
each with its moon

It appears as if Spinei had almost reached the mental state of self-effacement through this exquisite expression of the calm scene of the ponds in each of which the moon is reflected. In this haiku are well expressed calmness and ataraxia, which may remind the reader of Parmenides' view of the universe, or the doctrine of rest, and Epicurus' idea of ataraxia in life.

Some scholars in Indian philosophy have pointed out that Parmenides was influenced by Indian philosophy (cf. Nakamura Hajime, *The Interchange of Indian and Greek thoughts*). Parmenides

the currents
break and repair the clouds—
the train does not come.

The poet's unease and irritation are effectively reflected in the contrast between the changeable state of the clouds and the delay in the arrival of the train, while he looks as if he were enjoying himself seeing varied motions of the clouds. His mind is occupied by conflicting emotions. Apart from his mental state, intriguing is also the contrast in itself between the scene of the quiet station where the train is long delayed and lively motions of the clouds. Here the reader will find a strange beauty of harmony of rest and motion.

In many of his haiku Spinei makes efficient use of contrast. As the Japanese make much of the beauty of juxtaposition, so does he practise it deliberately. For instance, see the following piece:

just for a moment
on the frog's head
the blue dragonfly.

There is not only quiet momentary beauty expressed, but also something humorous about the unexpected juxtaposition of the frog and the dragonfly on its head in this piece. And furthermore, in the following piece:

bee humming
and lavender fragrance—

And again, marvellous is the expression of the following piece, where the earth and the universe have exquisitely merged together.

aligned
to the Milky Way
the rye field in bloom

Spinei is always compassionate towards all living things that are organically linked together. Incidentally, it is said that there was a custom of keeping insects, such as locusts, cicadae and crickets, in cages among the Greeks, and especially children, keeping them as pets, used to make little graves for them with tears in their eyes when they died, as *Greek Anthology* tells us. The Greeks had deep compassion for living things. Spinei with the same mind as the Greeks shows his mercy upon birds, for which some vines remain unpicked every year. His mercy shown in the following piece will make the reader's mind moved and purified:

just for birds,
some unpicked vines
year after year.

As I said earlier, Spinei has nothing to do with symbolism. His mind is reflected, just like faint light, in his straightforward depiction of objects as they really are, for it is expressed in his way of juxtaposition and arrangement of things. See the following piece:

according to the laws of nature, as is suggested in the following piece of haiku:

> swallow, you are
> a guest and a host too
> at my home.

The Japanese recognise the existence of soul, or ghost as Lafcadio Hearn called it, from mammals to insects, and even to trees from of old, regarding men as linked together with animals, insects and vegetation from their organic view of the world.

Hearn said that the Japanese "accord with the Greeks in their appreciation of insect music as one of the great charms of country life" (*Insects and Greek Poetry*). And Spinei also listens to insect music like the Greeks and the Japanese, and, what is more, he together with the stars of the firmament overhanging him hearkens to the music of insects, or tiny lives. The vast universe being unfolded in a short poem composed of only a few words, he shows us the world where the three kinds of existence—the stars, the insects and the poet himself— have been made an organic unity enveloped in the scent of hay. The universe is viewed as a form of life. See the following piece:

> smell of hay—
> only the stars and I
> are listening to the crickets.

through which sunlight penetrates was regarded as a symbol of Christians given divine revelation by Jesus.

Needless to say, however, scientifically there is no such relationship between the yellow gem and jaundice, or beryl and Christians. To the contrary, all things in the universe are organically linked together to each other, making a whole, according to ancient Greek and Japanese traditional views of the universe. Existence of things is just a repetition of occurrence and extinction as phenomena in the organic whole, not more and not less than that. And it is impossible that things are symbols of what are hidden behind the veil of things.

Vasile Spinei introduces into his performance of haiku art the tradition of Japanese haiku, which has nothing to do with symbolic thinking as Japanese haiku poets see things as they really are, and composes haiku in rational thinking based upon organicism. His own view of the universe based on organicism is well reflected in his clear arrangement and straightforward depiction of the carefully selected objects in nature, and so the reader will find himself impressed with lucidity and transparency of his haiku. Generally speaking, symbolistic expression in art is ready to turn to an enigma at times, owing to its equivocality and arbitrary implications, on which occasion the reader will be left as he does not seize the essence of the matter. In contrast to that, there is no such duality in Spinei's expression; his haiku is straightforwardly austere.

What occupies Spinei's mind is deep compassion and sympathy for all living things in nature. For the haiku poet, all living things in nature, including human beings, are essentially equal to each other

II Spinei's Self-effacement and Sympathy for All Living Things: Vasile Spinei's *Eglantine Hedge*

Mr Vasile Spinei

After the fall of the Western Roman Empire by intrusion of the Germanic peoples in 476, their way of symbolic thinking came to prevail throughout Europe, taking place of that of Greek thinking, a representative way of thinking in Classical antiquity, based on seeing things as they really are.

European art has been basically produced through the way of the Germanic symbolic thinking since the Middle Ages, whereas such a way of thinking is not found in ancient Greek and Japanese arts. People of the Medieval Period, from their symbolic thinking, thought that there must exist something high and abstract hidden behind visible things. For example, medieval people found a symbol of a remedy for jaundice in a yellow gem, in which they thought medical properties were hidden, so they used it to heal the disease. And transparent beryl attitude towards nature is the crucial secret of haiku art. These *haijin*, looking into their own minds through nature, are engaged in an internal dialogue with themselves, so their works necessarily bear an inclination to introspection more or less. They aspire towards the condition of ataraxia in their works with their minds unified with nature.

Be that as it may, it must be much more difficult for the haiga painter to penetrate into the internal world of each mind of the *haijin* through their haiku poems, feeling deep empathy for them. In the present book Codrescu's command of expression permits each of his haiga to correspond with the delicate shades of each *haijin*'s mind. It may well be said that Codrescu has invented his new original techniques different from the Japanese traditional ones of haiga. This is how he has become able to stay close to the mind of each *haijin*, and how he has developed his original art away from Japanese traditional haiga.

It is true that some of Codrescu's haiga paintings show dynamic motion, and others serenity, but his dynamic motion is just a momentary one, reducing to nothing. He does not lose sight of himself in such a motion, for he knows the motion he depicts is a momentary form of being just before its extinction. What he depicts is the transitional stage between life and death or being and nothing. In a sense his art leads to Japanese traditional aesthetics of extinction. The reader should note that the blank field of his haiga paintings and flying white or the white trace without ink in the brush stroke is, as it were, a glimpse of nothing or vacancy. Codrescu seems to see beings, animate or inanimate, from the point of view that they are nothing.

Dōgen advocates importance of receptive attitude towards nature to get intuitive perception of truth. According to Dōgen's view of nature, "Mountains, rivers, the earth, the sun, the moon and stars are mind,"("Shinjin-gakudō," *ibid.*), that is to say, "Mind is mountains, rivers, the earth, the sun, the moon and stars,"("Sokushin-zebutsu," *ibid.*). All beings in nature that one sees are nothing but reflection of one's mind. To look at nature is to look at one's self or one's own mind. Pater the Epicurean also says, "to pure reason things discovered themselves as being, in their essence, thoughts:—all things, even the most opposite things, mere transmutations of a single power, the power of thought. All was but conscious mind," ("Sebastian van Storck," *Imaginary Portraits*).

Vincent van Gogh had a good insight into Japanese mind. He told his brother Theo in his 542nd letter that the Japanese eminent artist was studying just a bud of grass, and yet this bud of grass would make him able to paint every plant first, then all seasons, the vast pastoral landscape, and furthermore animals and human faces in succession. Van Gogh goes on to say, "We have to return to nature more." Dōgen also said in "Shin-fukatoku," *Shōbō-genzō*, that to follow Buddha is to follow a flowering plant.

What has been stated above is intended to show how the *haijin* or haiku poet and the haiga painter see things. They have different ways of seeing things from those found in conventional Western culture. Strictly speaking, no one can be engaged in haiku art without realising that nature is mind. In the sense the *haijin* who have contributed to *The Wanderer Brush* can see not only nature as it really is, but also their own mind objectively. This receptive philosophies. Since the senses are the primary means of perception, and mere conjectures are not allowed in Epicureanism, as in Buddhism, intuitive perception through the senses lies at the root of recognition and knowledge. It is natural that submission to nature should be the fundamental attitude towards life in both of Epicureanism and Buddhism, whereas the conquest of nature has been characteristic of Western culture. Submission to nature makes one's mind a clear mirror that reflects nature as it really is, a perfect receptacle of nature, or *tabula rasa*.

Zen Buddhism is Buddhism that Bodhidharma (菩提達摩 ?-c. 530) from South India brought to China in the early 6th century. Zen, developed in China and then introduced to Japan, was finally completed in Japan, exerting a deep influence on whole Japanese culture. Dōgen (道元 1200-1253), a Japanese Zen priest and Sōtō Zen founder, who was taught and given dharma transmission in China by Tendō Nyojō (天童如浄1163-1228) or Tiāntóng Rújìng in Chinese, says as follows:

> To push one's self forward to attain dharma leads to an illusion; to let all beings push themselves forward to cause one's self to attain dharma leads to enlightenment.... To learn the teachings of Buddha is to learn one's self; to learn one's self is to forget one's self; to forget one's self is to be taught by all beings; to be taught by all beings is to cast off body and mind of one's self and those of alter ego having various relations with things outside one's self.
>
> ("Genjō-kōan," *Shōbō-genzō*)

the senses, the suspension of judgment must be put into effect without making conjectures beyond the limits of the senses.

Indian ideal was to maintain a calm and imperturbable presence of mind whatever may happen, as exemplified in Buddhism. Such composure of mind along with apathy is called Ataraxia. Pyrrho introduced these ideas of Scepticism and Ataraxia into Greece from India. Epicurus was taught Scepticism and Ataraxia by Nausiphanes who was a disciple of Pyrrho as well as a disciple of Democritus.

The idea of motion in Western culture is one thing, and that of motion in Greek philosophy another, for the former is concerned with Germanic temperament. The one motive force of the universe shows us appearance and disappearance of various phenomena, and yet Buddha, Parmenides and Epicurus state that the universe was not generated and is imperishable, that is to say, the universe has nothing to do with genesis-and-destruction.

In Heraclitus' idea of the Perpetual Flux, all things in the universe are understood from the point of view of mutability and transience of phenomena. *Prajñā-paramitā-sutra* says that form is nothing; nothing is form. It is the fundamental teaching of Buddhism that what things we see are nothing. Heraclitus also says that motion or appearance and disappearance of phenomena is nothing. All beings in the universe are nothing. Motion is considered to be the sign of unreality in Platonism as well. To the contrary, the idea of motion in Western culture bears no such connotation of nothing. Motion and nothing are, as it were, the two sides of a coin in Greek thoughts and Buddhism.

It is said that Epicureanism is closest to Buddhism of all Greek

Infant Dionysus of Praxiteles, which shows not only fluid movement but also tranquillity in its S-shaped form. Another philosophy that we should not discount is the atomism of Democritus and Epicurus. We need to note Epicurus in particular.

It is necessary here to take the relationship of Indian philosophy with Greek philosophy into consideration. Among some specialists in Indian philosophy, Parmenides is presumed to have been subject to the influence of Indian philosophy; Heraclitus, who viewed the universe as the Perpetual Flux, is likely to have been under the influence of Indian philosophy; and Pythagoras, who considered the universe to be the One and the Many as musical harmony, was certainly influenced by Indian philosophy. The view of the universe as the One and the Many is the fundamental principle of Buddhism, the major school in Indian philosophy. Democritus and Epicurus are also considered to have had similar influences. In his atomism Democritus assumed the existence of emptiness or vacancy in the universe for the first time. This assumption would be derived from the buddhistic idea of emptiness that all things are but nothing. And it is known that Democritus travelled the Orient in quest of philosophical ideas.

Pyrrho from Elis, Peloponnesos, accompanied Alexander the Great's military expedition to the east of 334 BC, and came to know the Indian ideas of Scepticism and Ataraxia through his association with local Magi. In Indian philosophy the primary means of knowledge is perception, or contact with objects through the senses, in which sense Epicurean philosophy coincides with Indian philosophy. At the moment an object is no longer perceived through decisive historical facts that have characterised Western culture: one is the spread of German tribes all over Western Europe as a result of the Germanic migration between the 4th and 6th centuries caused by the Huns' invasion throughout Europe, accompanied by the fall of the Western Roman Empire in the year 476; and the other the acceptance of Christianity rooted in Hebraism compatible with the Germanic temperament. Though Greek science was introduced to Europe in the Renaissance of the twelfth century, the nature of Hellenism was not necessarily accepted because Christianity is radically incompatible with Hellenism. Walter Pater, an English critic in the Victorian age, regarded the essence of the Renaissance as harmony of sweetness derived from Greece and Teutonic or Germanic strength, as represented by Michelangelo. But it is Pater's misconception to consider the source of sweetness of Renaissance art to be Greek—it should really be traced to Arabian culture. He is right to consider the source of strength to be found in what is Teutonic. It was Hebraism and Germanic temperament, on which Christianity depends, that made Western culture one of motion.

Major thoughts of Greek philosophy include the doctrine of rest represented by Parmenides, the doctrine of motion by Heraclitus, and the doctrine of number by Pythagoras, who viewed all things by way of number and numerical proportion based on the principle of order, harmony and temperance. These thoughts are all drawn together in Platonism. Such thoughts produced Greek art of harmonious antagonism between rest and motion. We can see such good examples in *Discobolus* of Myron, which expresses the mystery of combined motion and rest, of rest in motion; and *Hermes and the*

I Codrescu and *Haijin* of North America— Nature is Mind: Ion Codrescu's *The Wanderer Brush*

Dr. Ion Codrescu

Western culture is not in a line of direct descent of Greek culture. Western culture is one thing, and the culture of Classical antiquity another. In the Renaissance of the twelfth century, Greek science was introduced to Europe from Arabia by translating Greek science in Arabic into Latin, and Greek science in the original into Latin as well. Furthermore, advanced Arabian science developed from Greek sources was introduced into Europe through translation into Latin. There is no doubt that the Occident has benefited from Greek science, but, when we consider Western culture scrupulously, we find that there are more important elements of which it is composed.

Matthew Arnold wrote, "Hebraism and Hellenism,—between these two points of influence moves our world," (*Culture and Anarchy*). Rather than agreeing, it may be better to say that there are two major

第四章　欧州の友に寄せて

エピローグ

中山道

見かへれば夜のほどろに
浅い夢が結ばれては解けてゐる
山水(やまみづ)の細い流れはあるかあらぬか
消えぐ〱に光をひるがへす
地に下るとは天に歸ること
四大(しだい)の中に散り果て
増えもせず減りもせず
流轉する宇宙の塵は
變幻する綾を織りなして
翩々(へんぺん)といのちを踊る
街道はもだしのまにまに
時に芭蕉の杖つく音を聞き

時に和宮の道行きを知つた
手向けのぬさ
數知れず撒かれた記憶はたゆたひ
人から人へそれは靈氣となつて流れ
意識をつなぎ今といふ息づきを傳へてくる
さはれ今渡を行く街道の下は
そのまま埋もれた化石の森
地表にはつかにのぞく
木目あざやかな化石のかけらを
拾ひ集めた少年の日
有るといふことは
澄んだ丸い水晶體をよぎる
光の反轉でしかないと
未だ知るよしもなかつた

あとがき

折ふしに残した水茎（みづくき）の跡を拾い上げ補筆しながらここに一本に編むことにした。見たところ一貫した主題に則るものではないかのような印象を受けるので、或いは雑纂と見る向きもあろう。しかしここで私が耳を傾けたのは藝術家達の肉聲である。古人、辱知の恩師や先達、なおも現役で活躍する藝術家達の、言霊に生かされた永遠の肉聲、その肉聲とそれへの反応が本書を貫く綴じ糸である。

藝術家達がその人個人の肉聲を以て伝えてくるものは、深い谷底から静かに這い上ってくる滔々と流れゆく水の音にも似た民族の聲であり、人類の聲である。

表紙ジャケットの装画は、一昨年上梓した『ペイター藝術とその変容――ワイルドそして西脇順三郎』の表紙を飾った『美しき流れ・長良川支流』の作者である畏友青木年広氏の御好意に与った。この作品の題名は『清流・流れ込む』。長良川支流の溪流板取川を描いたもので、変形百号を二枚繋ぎ合わせた横幅三二四センチの大作である。昨年五月に完成した。本書の主題にまことにふさわしい作品である。

青木氏は北齋の富士山連作やセザンヌのサント・ヴィクトワール山の連作の趣向と同じく、長

『朝の日差し・長良川』

良川や板取川の連作を描き続けている。長良川連作の一例に『朝の日差し・長良川』（百二十号）を取り上げてみれば、白い穂を秋風に揺らしている川原のすすきの間を、舳先だけが見える覆いのかかった鵜飼船をよそにして細い流れがせせらぎ下るその先に、金華山のふもとを掠めてゆく長良川本流の背がちらりと見える風景を描いている。

精妙な筆致で描かれたすすきの穂が白く朝日に輝いて揺れるその風情は、長良川がその群生のあわいにわづかにしか垣間見えないことにより、却ってすすきの穂を一層引き立て、その全体的風景は明るい画面でありながら見る者にひそやかな郷愁をそそる。青木氏は飽くまでも澄んで明るい透明性を求めながら、その奥にあるものは隠されたいのちへの郷愁なのである。

そのちらりとしか見えない川の姿にこそ、画家の眼睛（がんせい）がある。物と物とのあわいにわずかにその一端を見せるいのち、或いは川となって息づくいのちの根源たる水の有様こそ、すみやかな時のうつろいを窺わせ宇宙の真如を語り、いのちへの郷愁を余韻嫋々と伝えてくる。小堀遠州（天正七年［一五七九］～正保四年［一六四七］）は、「夕月や海すこしある木の間かな」と詠み、それを露路の作庭の要諦としていたと言われるが、このような日本人の宇宙観に基づく美意識が、遺伝子を介して縷々繋がり青木氏の藝術にも息づいているのである。

一方、板取川連作については、少し間を置いた風景とは別様に、流れそれ自体を凝視した形で時の意識が象られている。青木氏は『美しき流れ・長良川支流』においては、飛去（ひこ）しつつ飛去せざる永遠の今を、飛湍の手前に淀みを配し流れを相殺撥無（そうさいはつむ）することで、表現することに成功している。しかもそれはゲルマン的象徴思考に由来する西洋絵画における象徴を用いた説明的描写とは相容れない対蹠的な直観的表現であり、過去をも包摂した今の今それ自体の表現となっている。

それに対して、本書のジャケットの装画『清流・流れ込む』をどう見るか。この作品は先の絵のような凝った動とは趣を変えている。動から静へと潺湲（せんかん）と流れて変容する水それ自体の美的様態は見る者をどのような思いに引き込むのであろうか。少なくとも私にはその激湍（げきたん）の先にある静かな澄みきった淀みは、川烏（かわがらす）の飛翔に暗示されるように何事もなかったかのような忘却、安祥或いは無を聯想させるのである。激湍に暗示される現象というものの本質は所詮無にすぎないことを訴えかけてくる。広く人口に膾炙した鴨長明の「ゆく河の流れは絶えずして、しかも、もとの水にあらず」という仏教的無常観の染みこんだ日本人の目には、このような絵は日本の心をその奥処（おくか）より独創的な表現でたぐり寄せてきているもののように見えるであろう。日本の心を新たに生み返している青木藝術は、民族のいのちの源流への郷愁を漂わせ、詩情に満ちている。

青木氏は岐阜の清流をいのちへの郷愁の滲透した瑰麗（かいれい）な透明感を以て描き、独創的な画風を確立している。その神髄は流れて流れざる時の意識の具象化と、無機物を有機的ないのちとして描出することにあった。道元は、「草木国土これ心（しん）なり。心なるがゆゑに衆生なり、衆生なるがゆゑに有仏性なり。日月星辰これ心なり。心なるがゆゑに衆生なり、衆生なるがゆゑに有仏性なり」（『正法眼藏』、「佛性」）と言った。私達が自然を見ても、人それぞれの見方がある。人は同じ物を見てもそれぞれに違いが出てくるのは、そこに己の心を見ているからである。己の見ている自然が己の心であるならば、それは無機物と見えながら己の魂との関わりにおいて生き物である。無情の物が「心なるがゆゑに衆生なり」とはこの謂（いい）である。

私達の見る草木国土、日月星辰は無情ではなく、衆生即ちいのちある物と見るのが、禅的宇宙観である。青木氏がやってのけたことは、この宇宙観に倣う表現に他ならない。溪流の狭間を瀧（たぎ）り流れては静まる水も、そしてその両岸の岩も、或いは草蔭の合間に見える川の流れも、すべてそれ自体がいのちあるものとして描かれている。無情の有情（うじょう）への変現は、何気なく添えられた流れの上を掠め飛ぶ川烏、水面下の鮎、岸辺の深紅の岩躑躅或いは立ち枯れのすすきなどが、眼睛としてその効果を引き立てている。それにもまして、画家が親密な契りを結んだ清流の、無機質にあらざるそのいのちとの関わりは、画面全体に神韻縹渺として反映している。

幼年時代から馴染んだ揖斐の根尾川や長良川の清流は、画家にとって己の魂と繋がったいのちある遊び友達であって、単なる無機物ではなかった。画家の描く溪流は画家の目をくぐり抜けることでその魂の息吹を吹き込まれている。形は魂である。その無情なる物をいかなる象徴でもいかなる比喩でもなく、それ自身として、直観的に有情として描きおおせたその画境は、その類例を見出だし難い独創性を誇っている。

ところで、『古事記』の中巻の神武天皇の章で、土雲を打たんとしてその心を明かした神武天皇の歌の中に、「撃ちてし止まむ」という句が使われている。この言葉は戦時中戦意昂揚のために使われた。終戦直前まで臺北帝國大學文學部教授を務めておられた工藤好美先生は戦時中使われたこの「撃ちてし止まむ」という標語をのちのちまで嫌悪しておられた。戦時中そうした態度を見せることを憚らないので、立場が立場だけにそれが外に漏れ出て問題を起こしやしまいかと、和子夫人も日々肝を冷やす思いだったそうである。その一見反国家的な姿勢は、実は文化伝統を否定する立場とは全く正反対であったことを理解しておかねばならない。

先生は少年時代から和歌を嗜んでこられた歌人であったのみならず、本文に記しておいたように、日本語になりにくいペイターの英語を翻訳するに当たっては、日本の古典文学の世界に沈潜された。その結果、王朝文学とペイターの文体を掛け合わせたような独自の文体を生み出し、やまとごころを瑞々しい形で生み返されたのであった。そうした文体に魅了された一人として本書では川村二郎を取り上げたが、堀辰雄（明治三十七年〜昭和二十八年）も工藤訳のペイターに惹きつけられた文人であった。その共感は工藤訳の文体の美しさに支えられたものであり、そういう堀がその軽井沢の別荘に足繁く出入りしていたまだ学生だった中村真一郎に、文学修行のための手本として強く推奨したのが、昭和五年に出た岩波版の工藤訳『ウォルタア・ペイタア短篇集』であった。中村によれば、「典雅で明快な、そして抒情的であると同時に知的な、古典的に硬質な」その翻訳文体には、「倫理的なきびしさと審美的な美しさ」とが見事に融合していた（『ウォールター・ペイター短篇集』序文、「忘れられない本」参照）。中村も川村二郎と同じく、読み終えるのが惜しまれるほどに魅了されたのであった。

翻訳がその文体故に読者を惹きつけ得る例は極めて稀である。工藤先生は、深い無知を信条とし、文学三昧に徹し、政治的なことには無知を貫いた文学者であった。ペイターと同じく日常生活が藝術世界であり、その形のみを残し作品だけにより評価されることが藝術家の本懐としておられた。それ故、作品のみを残し私生活に関わることは殆ど残していないシェイクスピアの藝術的生活を称揚された。さればこそ、ペイターの書簡集がロレンス・エヴァンズ（Lawrence Evans）の編纂で一九七〇年にオックスフォード出版から出たことについては、ペイターは私生活を極力消し去り作品のみを残すことに意を用い、手紙も事務的なものしか残さなかったのに、ペイターの書簡集なんぞ出して何の意味があろうかと、その出版を評価されなかった。やまとごころを体現し民族の文化伝統を継承維持するこの藝術家は、世俗を絶ち厳格な修行を積む仏道修行者と変わるところがなかった。それどころか工藤先生は宗教さえも放擲し仏教徒でも神道信者でさえもなく、葬儀も家族だけに限定し無宗教で営むように生前に指示しておかれた。有難いことに私は特別に呼ばれ、野辺送りまでさせていただいた上に、八王子のまや霊園での納骨の儀にも参列させていただいた。とまれそのような形で世俗を遠ざけることにより、文学三昧を通し切った藝術家であった。

アリストテレースは、ヨーロッパの民族は気概はあるが、思慮と技術に闕け、アジア（アジアとは近くはペルシア、遠くはインドまで）の民族はその霊魂が思慮的で技術的ではあるが、気概がない。しかしギリシア民族は、位置的にも中間であるように、気概も思慮も兼ね備えているという（『政治学』参照）。今なお、ギリシアは純粋にヨーロッパ風ではなく、アラビア的な要素との繫がりを文化的にも人種的に感じさせる。ギリシアは純粋にヨーロッパでもアジアでもなくその中間であるというのは、今なおそうであろう。

ブルガリアを挟んでギリシアの北側にあるルーマニアは黒海に面している。古代においてダキア（Dacia）と呼ばれ、そこにはゲタエ族やダキア族が住んでいた。黒海沿岸部は古代ギリシア人が植民都市を建設したが、小アジアのミレートス（Milētos）も前七世紀から六世紀の間に黒海沿岸にいくつか植民都市を建設した。ドナウ川河口に建設されたトミス（Tomis）もそのひとつであった。現在それはコンスタンツァ（Constanța）と呼ばれている。本文でも触れたがローマの詩人オウィディウスは後八年、初代ローマ皇帝アウグストゥスの怒りを買いトミスに流された。オウィディウスは土着民で蛇の毒矢を射込んでくる凶暴なゲタエ族の度重なる襲撃に悩まされた。そのような情況の中で、植民のギリシア人がいかに親切だったか、オウィディウスは『黒海からの手紙』(*Epistulae ex Ponto*)第四巻第十四歌の中で次のように書いている、「トミスの人々よ、私の運命はあなた方によって優しく迎えられ、/ギリシア系の人々がいかに親切であるかが明らかになっています。/私の種族であるパエリグニ族、わが故郷の町スルモだって、こちらの/方々以上に私の不幸に優しいということはなかったでしょう。」(木村健治訳。スルモは現スルモーナ Sulmona ローマの東約百二十キロに位置する)と。古代ギリシア人は慈悲深い人々であった。それは詩や神話を通して理解されることであるが、現代のギリシア人やギリシア系の人々も温情豊かな人が多いことは、私は自分自身の体験を通して知っている。

ローマは一〇六年にダキアをローマの属州とし、四万人の軍隊を配備し、植民都市を造ってローマ人を送り込み、それは現在のルーマニア Romania の国名通り、ローマの国となっていった。私はイオン・コッドレスク氏(Ion Codrescu)を平成二十八年に大学院の集中講義の講師として日本に招いた時、或るイギリスの知人にコッドレスク氏を紹介した。その知人はこのルーマニアの俳人俳画家をまるでローマ人の再来だと、私にその印象を熱っぽく語った。ルーマニアの歴史から見ても、コッドレスク氏にローマ人の血が流れている可能性は否定し難いであろう。しかし私にはその誠実さと温情豊かな人柄、それに加えて、森の中で暮らしてきたにも拘わらず自然を空想的にしか捉えることを知らなかったゲルマン人と違い、自然現象を丹念に観察した古代ギリシア人と変わらぬ自然観察の姿勢と自然に対する愛着に、気質的には寧ろギリシア人の血を感じてきた。コッドレスク氏はローマ人とギリシア人の両方の血を受け継いでいるのかもしれない。

コッドレスク氏は一九五一年、コンスタンツァ近郊のコバディン（Cobadin）という小さな村に生まれた。子供の頃は日々、村の周りの森で遊んで暮らした。自然を友にして過ごしつつ、この俳人画家は自然に感応する能力を高めていったようである。このようにして感性を養うことによって、俳画は與謝蕪村、俳諧は芭蕉と蕪村の両者に最高の模範を見出だしていった。アジアに近い位置にあるルーマニアは西ヨーロッパ諸国に比べると、自然に対する感受性において心なしか日本に近いものを感じさせるところがある。

平成二十三年、『加藤郁乎俳句英訳百句選』（*100 Selected Haiku of Katō Ikuya*）を出した時、コッドレスク氏は私から献本を受けていたので、郁乎俳句をよく理解してくれていたし、郁乎氏が逝去された折には、お悔やみの言葉を俳句に託して届けてくれた。そのような縁で、平成二十六年、加藤郁乎氏の二周忌を記念して高山の「光（ひかる）ミュージアム」で「加藤郁乎展」が三ヶ月余り開かれた折、郁乎氏の最後句集『了見』から私が二十句選んで英訳し、それを元にコッドレスク氏が俳画を描き、「加藤郁乎展」の入口を飾った。

二〇一七年にコンスタンツァにあるオヴィディウス大学（Universitatea Ovidius）を定年退職したコッドレスク氏は一昨年（令和元年）、六月にパリのソルボンヌ大学での招待講演を終えた後、九月中旬から十一月中旬まで三ヶ月間にわたり、ノース・カロライナ大学日本センターとオレゴン

「加藤郁乎展」、会場入口右側にコッドレスク氏の俳画を展示、於光ミュージアム（筆者撮影）

のポートランド国立大学の招きで渡米し、米国とカナダの各地の俳句団体や文化センターで巡回講演しながら、同時に俳画の展示と俳画制作の実演等を行なった。講演会等に参加した北米俳人達の強い要望から昨年出版されたのが、*The Wanderer Brush*（『漂泊者　筆』）である。北米俳人達とそれ以外にも企画を知った二十五ヶ国余りの俳人達から応募のあった三百点を超える作品から半数を選び出し、その内、北米俳人版として七十九点の俳句を俳画仕立てにしたのが、このアンソロジーである。コッドレスク氏からはこの新著にも巻頭言の依頼があり、筆を執らせていただき、自然は心なりという観点からこの俳画集について概観した。

　俳画家はこの本の序文でも明らかにしているように、日本の俳画の伝統的美学とその精神を継承する藝術家である。それを礎にしながら己自身を表現し、独自の俳画の境地を開拓し今日に至っている。コッドレスク氏は書の技法はその美学、その表現の簡潔さにおいて俳句に最も近いという認識の上に立ち、書と画との調和と連続性、即ちその両者の内的な有機的関係性と一体的表現性を俳画の要諦とした。画は詩文に変容し、詩文は画の一部とならねばならないというのが、コッドレスク氏の俳画観の要であり、それは言うこと少なくして暗示を豊かにすることに藝術の本質を認め、有機体論に立つ飛躍を以て俳画の生命線とするものである。因みに *The Wanderer Brush* は、今年六月、アメリカ俳句協会（Haiku Society of America）主催の優秀図書賞（Merit Book Awards）、佳作賞（HONORABLE MENTION）を受賞した。

ルーマニア語が日常語であるモルドヴァは一九四四年ソ連によってルーマニアから切り離されてしまった国である。そのモルドヴァにコッドレスク氏に劣らぬ日本的感性を見せる俳人がいる。この国を代表する俳人ヴァシレ・スピネイ氏（Vasile Spinei）である。スピネイ氏は二〇一七年に俳句と川柳を収めた『野薔薇の生垣』（*Eglantine Hedge*）を上梓した。その巻頭言を書かせていただいた。動植物のいのちに寄せるその繊細な慈しみ深い心を感動を以て読んだ。ふと生き物が見せるほほえましい姿にいのちのいとおしさを覚える俳人の慈しみの心、物言わぬ生き物達への深い思いやり、日本の田毎の月の情景を思わせる静謐なひと時を詠んだ句、そうした自然と俳人の心との不二一如が、平易な表現にして精妙な奥行きを見せる巧みな措辞を以て読む者の心に染み入る俳風は、人の心を休らわせる力を持っている。因みに、スピネイ氏は一九九六年に出版した句集『修道士のほほえみ』（*The Monk's Smile*）は、アメリカ俳句協会優秀図書賞の特別賞を、卓越した藝術表現が評価され受賞している。

スピネイ氏は一九四八年、首都キシナウ（Chişinău）の北西約百五十キロに位置するドニエストル川河畔のソロカ（Soroca）に近いバディチェニ（Badiceni）という村に生まれ育った。キシナウのモルドヴァ国立大学（Universitatea de Stat din Moldova）で文学・ジャーナリズムを専攻し、卒業後はいくつかの国営の新聞社の記者、編輯者、取締役を歴任し、更に国会議員も四年務め、国から「功労者」（MAN OF MERIT）の称号を授与された。二〇一二年からはモルドヴァ国立大学ジャーナリズム・情報学部で講師としてジャーナリズムの講義を担当している。私が確認し得た限りでは九冊の俳句・川柳の著書がある。

『野薔薇の生垣』の出版記念会は二〇一七年十月十八日にモルドヴァ国立大学で開かれ、在モルドヴァ日本大使好井正信氏も参列し、祝辞を述べてくれたと、スピネイ氏はその写真も送ってくれた。

『野薔薇の生垣』出版記念会で祝辞を述べる在モルドヴァ日本大使好井正信氏、於モルドヴァ国立大学。（スピネイ氏提供）

先人の作り上げてきた日本人の美意識の産物としての美術工藝品は、西欧で十七世紀以来漆器や有田焼が珍重され、次いで十九世紀半ばからはジャポニスムとして大々的に日本の美術品や工藝品がもてはやされたが、今では文藝や俳画の領域においても日本の美学が人類の普遍的美学として受け容れられ、新たな形に発展させられつつある。日本古来の美学は自然に倣うことにより磨かれてきた。しかし終戦後日本はＧＨＱの手になる日本國憲法により、思考形態を変えることを強いられた。自然を侮り物質に付き、日本人の気質も変わった。礼節を失い攻撃的で謝ってもなおも執拗に叩きのめさないと気が済まないような世情を見せ始めている。

戦後民主主義における自由論、平等論、女性論、多様性尊重等々が錦の御旗の如く相手を黙らせて叩きのめす独善のための道具となっているのは何故かを考えてみるべきであろう。必ずしも自然の必然性に拠ることをしないゲルマン的象徴思考と一神教的思考とが習合して生まれ、何事も己を基準とするヨーロッパ的思考の主流は、有機体論に立つギリシア的合理思考とは異なり、無機的自然観と機械論的物質主義にある。そこから生み出される人間の恣意的な観念的世界の一角を占めるそれらの所謂人権一般に関わる観念は、それら自体自家撞着を孕んでいる。自己の人権を言い募る者は他者の人権を蹂躙する。絶対的思考から生み出されたそうした観念は不寛容で攻撃的行動を伴っており、民族の長い歴史の中で作り上げられて自然に即した有機体論的思考に基づく別様の考え方は排撃しようとする。自我に執着し他者を犯して自己を拡大することしか眼中になく、己自身の姿を見る術を知らないし、そうしようとも思わない。日本人は自然に倣い相互滲透性乃至相互補完性に特徴づけられる相対的思考による和の精神を培ってきた。

『日本書紀』巻二十二に記されている聖徳太子の「十七條憲法」には、先づは「一に曰く、和(やはらか)なるを以て貴(たふと)しとし、忤(さか)ふること無きを宗(むね)とせよ」と説き、掉尾には「十七に曰く、夫(そ)れ事(こと)獨(ひと)り斷(さだ)むべからず。必ず衆(もろもろ)と論(あげつら)ふべし」と締めくくられている。そしてなおも千年以上の時を超えて明治天皇は、『五箇條の御誓文』において、「一　廣ク會議ヲ興シ萬機公論ニ決スベシ」と仰せられた。この和の精神は大和心の根本義として、連綿と続いてきた。有機体論に立つ民主思想が日本では古来生き続けてきた。この根本義に加えて、「I　幾冬すぎて」に引用した乃木希典の語る吉田松陰の生活態度や人に対する接し方こそ、自然に育まれた相対思考のもたらした結果として、日本が倫理規範とする普遍的民主的価値であった。それはゲルマン的象徴思考と一神教的思考の土壌で育った西洋民主主義とは質を異にする。西洋民主主義は人為的な観念を前提とする限り、普遍的価値を持つとは言い難い。

古代ギリシアと日本とが普遍的価値を持ち得、他者の共感を呼ぶ藝術と文化様式を築き上げてきたのは、前者の拮抗調和と後者の相互滲透性との違いはあれ、両者とも自然に即した思考を拠り所としてきたからである。

今日本は欧米と日本との思考形態の違いを日本の後進性としてしか捉えられず、いまだに欧米思考をまねしようとする暗澹たる情況にある。『武士道』を英文で著しアメリカで版行した新渡戸稲造の明治人の気概を顧みるべき時である。

新渡戸は、知人のベルギーの法学者ラヴレー（M. de Laveleye）からその家に招かれて滞在していた折、「日本の学校では宗教教育をしていないとおっしゃるのですか」と問われ、いかにもと答えると、ラブレーは一瞬驚いて息を呑んでから、「宗教はないですと。いったいあなた方はどのようにして子孫に道徳教育を授けるのですか」（"Preface", *Bushido*）とたたみかけられ愕然とした。そこで新渡戸は、一面観の譏りを免れ得ないこの増上慢とも取れる発言に対して、我が日本に武士道ありと、欧米人の日本理解を正すために、『武士道』を通して、日本では仏教、儒教、神道精神が綜合されて武士道を形作り、それが倫理規範として家でも社会でも一様に行き渡っていた現実を事細かに分析すると同時に、古代ギリシア・ローマの思想哲学や西欧思想をも引き合いの上、比較対照して、武士道の持つ人間形成のその倫理規範の要諦を明らめ、その普遍性を闡明（せんめい）した。新渡戸は熱心なキリスト者であったが、日本人として相対的思考のできる新渡戸であったからこそ、日本と欧米とを見渡した客観的視野が可能だったのである。我（が）を捨てつつ自己たり得ているこうした精神と姿勢の恢復は、国柄の衰頽のさなかにあって、轍鮒（てっぷ）の急を要する時に至っている。

令和三年辛丑三月三日

玲月庵にて

伊藤　勳

初出一覧

「幾冬すぎて」、『言語と文化』第四十二号（通巻六十五号）、愛知大学語学教育研究室、令和二年一月。加筆。

「肉聲、その言葉と形」、『Aichi University Lingua』第十二号、愛知大学語学教育研究室、平成三十年七月十五日。

「マルコ・ポーロの知的好奇心と商魂」、原題「文学研究科進学のすすめ」、『Aichi University Lingua』第六号、平成二十七年七月十五日。加筆。

「ペイターと日本」、原題「あとがき」、『ペイター「ルネサンス」の美学』、平成二十四年七月二十日。加筆。

「昭和天皇御製と福田陸太郎先生」、『文學論叢』第百四十輯、「編集後記」、愛知大學文學會、平成二十一年八月十日。加筆。

「青木年広画伯、その藝術人生」、原題「青木年広画伯と『入門演習』」、『別冊ひろば』第三十九号、愛知大学教職員組合、令和二年三月六日。一部加筆。

「青木藝術の透明性」、『青木年広作品集 TOSHIHIRO AOKI 2018』、平成三十年、岐阜市主催「青木年広個展〈洋画〉」（加藤栄三・東一記念美術館）用に制作された私家版。一部加筆。

「クレタ絵画雑感」、『文化連情報』三月号、第三八四号、日本文化厚生農業協同組合連合会、平成二十二年三月一日。

「英国の地霊に触れて」、『ＬＬニュース』第三十五号、愛知大学豊橋語学教育研究室、平成十九年十月十五日。加筆。

「英国の日本趣味」、『大法輪』第七十三巻、二月号、大法輪閣、平成十八年二月一日。一部加筆。

「もう一人のペイタリアン――川村二郎氏」、『未開』第六十八号、未開出版社、平成十七年十月一日。加筆。

「流れ」、『没後二十年西脇順三郎展』、世田谷文学館、平成十四年九月二十八日。

「ペイターの受容」、原題「あとがき」、『ウォルター・ペイターの世界』、八潮出版社、平成七年七月三十日。加筆。

「西脇順三郎におけるワイルド」、『WILDE NEWS LETTER』第十号、日本ワイルド協会、平成五年七月三日。加筆。

「俯瞰的相対主義の批評精神　沓掛良彦著『ギリシアの抒情詩人たち　竪琴の音にあわせ』」、『未開』第八十号、学事出版、令和元年九月三十日。一部加筆。

「書評『修羅と永遠　西川徹郎論集成』」、『週刊読書人』第三〇九三号、平成二十七年六月十二日。一部加筆。

「マロックを読む――澤井勇訳『新しい国家』」、『日本ペイター協会会報』第三十四号、平成二十五年十月一日。加筆。

「詩人緒方登摩と新詩集『稜線』について」、『未開』第六十七号、未開出版社、平成十六年九月一日。
加筆。

「福田陸太郎著作集（沖積舎刊）――第四巻『詩と詩論』」、『交野が原』第四十七号、交野が原発行所、
平成十一年十月一日、加筆。

「福田陸太郎詩集『カイバル峠往還』」、『図書新聞』第二三三七号、平成九年一月二十五日。加筆。

「生のなつかしさ　工藤好美著『文学のよろこび』――「家のなかの天使」」、『詩と散文』第四十六号、
永田書房、平成元年七月十日。加筆。

「工藤好美著『ことばと文学』に寄せて」、原題「工藤好美先生への公開書簡」、『詩と散文』第四十五号、永田書房、昭和六十三年十二月三十日。加筆。本書においては書簡体を通常の評論の形に改めた。

「武田勝彦先生追悼」、『日本ペイター協会会報』第三十八号、平成二十九年十月一日。

「薤露　加藤郁乎先生」、原題「弔辞」、平成二十四年五月二十三日、東京・西五反田、桐ヶ谷葬祭場、
加藤郁乎氏葬儀。

「福田陸太郎先生のこと」、『未開』第六十九号、未開出版社、平成十八年十月二十日。一部加筆。

"Codrescu and *Haijin* of North America—Nature is Mind: Ion Codrescu's *The Wanderer Brush*," originally "Foreword" for Ion Codrescu's *The Wanderer Brush*, ed. by Jim Kacian (Winchester, Virginia: Red Moon Press, 2020).

"Spinei's Self-effacement and Sympathy for All Living Things: Vasile Spinei's *Eglantine Hedge*," originally "Preface" to

Vasile Spinei's *Eglantine Hedge* (Chişinău, Moldova: Bons Offices, 2017). Corrections made.

"Codrescu in the Line of Descent of Couchoud, the Eminent Appreciator of Haikai: Ion Codrescu's *Something Out of Nothing*," originally "Foreword" for Ion Codrescu's *Something Out of Nothing*, ed. by Jim Kacian (Winchester, Virginia: Red Moon Press, 2014). Some minor corrections made.

"Codrescu's Art of Relationship beyond the European Conventional Symbolism: Ion Codrescu's *HAÏGA*: *Peindre en poésie*," originally "Foreword" for Ion Codrescu's *HAÏGA*: *Peindre en poésie* (Barjols, France: Éditions Association francophone de haïku, janvier, 2012). Corrections made.

【P】

Parmenides 249, 258-260
Pater, Walter 256, 260
Imaginary Portraits 256
"Sebastian van Storck" 256
Perpetual Flux 258, 259
Platonism 258, 260
Prajñā-paramitā-sutra 243, 258
Praxiteles 259
Hermes and the Infant Dionysus 260
Pyrrho 258, 259
Pythagoras 259, 260

【R】

renku 242, 243

【S】

Scepticism 258, 259
senryū 241
submission to nature 257
sumi-e 243
suspension of judgment 258
symbolism 240, 251

【T】

tabula rasa 257
tagoto-no-tsuki 248
Tendō Nyojō 257
Transactions of the Asiatic Society of Japan 245

【V】

van Gogh, Vincent 256

【W】

waka 241
winged concision 244

【Y】

Yosa Buson 240, 241, 244

【Z】

Zen 257

【F】

fall of the Western Roman Empire 254, 260
Fukuda Shinkū 243
fūryū 240, 246

【G】

gasan 240, 241
Germanic migration 260
Germanic symbolic thinking 254
Greek 243, 244, 249, 251-254, 258-261

【H】

haiga 239-244, 255, 256
haikai 241, 242, 244, 245
haiku 239-244, 247-250, 252, 253, 255, 256
haimi 240
harmonious antagonism between rest and motion 260
Hearn, Lafcadio 245, 252
Hebraism 260, 261
Hellenism 260, 261
Heraclitus 258-260
hokku 241, 244, 245
Hui-kuo 241
Huns' invasion 260

【I】

impassioned contemplation 244
indefinite sympathy 244
Insects and Greek Poetry 252

【J】

juxtaposition 240, 249-251

【K】

Kojiki 245
Kūkai 241

【L】

leap and continuity 242

【M】

Magi 259
Maitre, Claude-Eugène 245
Masaoka Shiki 241
Matsuo Bashō 245
Myron 249, 260

【N】

Nausiphanes 258
Nishiyama Ryūhei 243
Nyojō 257

【O】

the One and the Many 259
organicism 242, 243, 246, 253

102, 103, 105
ロンドン大学　165

【ワ】

ワーヅワス，ウィリアム（William Wordsworth）　121, 212- 214
wise passiveness　213
ワイルド（Oscar Wilde）　16, 36, 39, 49, 51-54, 59, 61, 62, 82, 128, 131-135, 145, 153, 162, 195, 266
『獄中記』（*De Profundis*）　40, 52, 53, 59, 62, 133
『サロメ』（*Salome*）　51-53, 59
「社会主義の下における人間の魂」（“The Soul of Man under Socialism”）　36, 82
『ドリアン・グレイの肖像』（*The Picture of Dorian Gray*）　134, 145
『ラヴェンナ』（*Ravenna*）　153
“Mr. Pater's Last Volume [*Appreciations*]”　53, 61
“The Critic as Artist”　51
“The Decay of Lying”　53, 59

【A】

Alexander the Great　259
Arabian culture　260
Arnold, Matthew　261
Culture and Anarchy　261
Ataraxia　258, 259

【B】

Bodhidharma　257
Buddhism　241, 248, 257-259

【C】

Chamberlain, Basil Hall　244, 245
“Bashō and the Japanese Poetical Epigram”　245
Christianity　260
Cobadin　240
Couchoud, Paul-Louis　242-245
Sages et Poètes d' Asie　245
“Les Haï-Kaï, Les Epigrammes Poétique du Japon”　245

【D】

Dacian　243
Democritus　258, 259
Discobolus　249, 260
Dōgen　256, 257
Shōbō-genzō　256, 257
“Genjō-kōan”　257
“Shin-fukatoku”　256
“Shinjin-gakudō”　256
“Sokushin-zebutsu”　256

【E】

Epicurus　249, 258, 259

ヤハウェ　14-16, 18, 19, 34
山邊皇女　42

【ユ】

有機体論　14-16, 18, 34, 36, 44, 46, 47, 133, 135, 138, 276, 278, 279
有機的構築性　45
有機的自然　17
有機的論理性　44, 45
ユダ（Judah）　15
ユリアヌス（Flavius Claudius Julianus）　101
『百合の王子』（クレタ絵画）　87, 88

【ヨ】

ヨーク（York）　103, 104, 111, 163
ヨールヴィーク（Jorvik）　111, 112
與謝蕪村　241, 274
好井正信　277
吉本隆明　145
寄合い　146

【ラ】

ラヴレー（M. de Laveleye）　279
ラスキン，ジョン（John Ruskin）　148, 150, 155, 161
ラドガ湖（Lake Ladoga）　114
ラピス・ラズリ（lapis lazuli）　57, 58

【リ】

リー，ヴァーノン（Vernon Lee）　62
リカルヴァ（Reculver）　105
リガ湾（Gulf of Riga）　112
リッチバラ（Richborough）　103, 106
李白　141
リバティ（Arthur Lasenby Liberty）　117
龍樹尊者　48
『令義解』　33
リンディスファーン（Lindisfarne Priory）　107, 108

【ル】

ルグワリウム（Luguvalium）　100
ルスティケロ（Rustichero da Pisa）　55
ルトゥピアエ（Rutupiae）　103, 105, 106

【レ】

レヴィ，マイケル（Michael Levey）　155, 156, 163
レグルビウム（Regulbium）　105
レスボス島（Lesbos）　26
「列王記」　15
連渦文　86-88

【ロ】

ローズ氏（Mr. Rose）　147, 154, 155, 157-160
ロセッティ，ウィリアム・M・（William　Michael Rossetti）　116, 117
ロセッティ，ダンテ・G・（Dante Gabriel Rossetti）　16, 62, 116, 158
ロンディニウム（Londinium）　96,

【マ】

マーリン（Merlin）　90
「マタイの福音書」　19
マッシリア（Massilia）　99
マネス・プレセリ丘陵（Mynydd Preseli）　90
マルタ騎士団　164, 165
マルタ大学　164, 165
マロック（William Hurrell Mallock）　147-162
　『詩集』（*Poems*）　153, 205
　『みんな誰でも詩人、或いは霊感を受けた歌人の作法読本』　153
『萬葉集』　22, 26, 28, 32, 41, 65, 70, 142

【ミ】

三浦環　168
ミケーネ文明　86
三島由紀夫　21, 51-54, 128, 195, 210, 214, 215, 219-221, 233
　「オスカア・ワイルド」　51
　『假面の告白』　195, 214, 215
　『貴顯』　54, 211, 214
　「『サロメ』の演出について」　53
　「問題提起」　21
　「わが夢のサロメ」　53
ミトラ（Mithra）　101
みやび　70, 228
ミュローン（Myrōn）　40
ミレートス（Milētos）　94, 272

【ム】

ムーア，ジョージ（George Moore）　63
無機的自然　17, 18, 278
無機的物質主義　26
紫式部　200
　『源氏物語』　65, 199, 200, 212

【メ】

明治天皇　279

【モ】

目的因　15, 16
もののあわれ　193, 195, 196, 200-202, 211-213
モリス，アイヴァン（Ivan Morris）　220
モリス，ウィリアム（William Morris）　117, 154, 205
モルドヴァ（Moldova）　276, 277
モルドヴァ国立大学（Universitatea de Stat din Moldova）　277
モンゴル語　56
モンテーニュ（Michel Eyquem de Montaigne）　53
　『随想録』　53

【ヤ】

安井曾太郎　77
保田與重郎　122, 123

プルータルコス（Ploutarchos） 82
フレイ（Frey） 18
ブロコリティア（Brocolitia） 100, 101
ブロコリティアのミトラス神殿
（Brocolitia Mithraeum） 101
『プロック』（*Ploc*） 224

【へ】

ペイター，ウォルター（Walter Pater）
16, 31, 52-54, 61-67, 82, 118-123, 125-131, 147-149, 152, 154-163, 178, 192-196, 198-203, 205-212, 214, 215, 218-221, 230, 231, 266, 270, 271
『享楽主義者マリウス』（*Marius the Epicurean*） 63-66, 120, 121, 127, 195, 200, 207, 211
「家のなかの子」 199, 202, 214
「透明性」 193
『想像の画像』 207, 208
「オーセロワのドニ」 162
「宮廷画家の花形」 208
Plato and Platonism 205
"The Doctrine of Motion" 205
『ルネサンス』（*Renaissance*） 53, 54, 61-64, 66, 118, 119, 126, 156, 161, 200, 205, 210
"Conclusion" 205
ベイリオル学寮（Balliol College） 147-149, 162
『ベーオウルフ』（*Beowulf*） 109
ベーコン，フランシス（Francis Bacon）
47, 48, 103
The Advancement of Learning 47
ヘーラクレイトス（Hērakleitos） 205, 206
ヘーロドトス（Hērodotos） 59
『歴史』 59
ヘタイライ 26
ヘブライズム 45, 134, 152, 161
ペルガモン（Pergamon） 97
『ベルグレイヴィア』（*Belgravia*） 156, 161
ペルシア 56-58, 101, 141, 272
ペルシア語 56, 57
ペルス，サン＝ジョン（Saint-John Perse） 177, 228
ベンソン，A. C.（A. C. Benson） 149, 156, 158, 159, 161, 163
ペントレ・イヴァン（Pentre Ifan） 89, 90

【ホ】

方式（formula） 192, 203, 205
ポーロ，ニッコロ（Niccolò Polo） 56, 57
ポーロ，マルコ（Marco Polo） 55-57, 59, 60
『東方見聞録』 55-60
北齋 266
菩提達磨 46
穂積皇子 22
ホノリウス（Honorius） 107
ホプキンズ（Gerard Manley Hopkins）
164, 169, 174
ホメーロス（Homēros） 36, 47, 141
『イーリアス』（*Ilias*） 47
堀辰雄 271

【ヒ】

ピウス，アントニヌス（Antoninus Pius） 104
ピクト族（Picts） 99
ピーコ・デッラ・ミランドラ（Giovanni Pico della Mirandola） 201
ビショップ，エリザベス（Elizabeth Bishop） 104, 181
日夏耿之介 52
飛躍 46, 122, 146, 152, 160, 276
ヒューマニズム 131, 198, 200-202, 208
ビュザンティオン（Byzantion） 111, 112, 114
平等論 25, 26, 39, 278
平田禿木 63, 126, 220
『瀕死のガリア人』（Galata Morente） 97
ピンダロス（Pindaros） 140, 141

【フ】

ファーマー＆ロヂャース商会（Messrs Farmer and Rogers） 117
『ファン・ゴッホの手紙』 235
ブーディカ（Boudicca） 91-93, 96, 97
フェニー・ストラットフォード（Fenny Stratford） 96
フォース湾（Firth of Forth） 104
深い無知 271
俯瞰的相対主義 138, 142
ブキャナン，ロバート（Robert Buchanan） 158
「肉感詩派」 158
福田陸太郎 68-70, 175-185, 187, 221, 226-238
『欧洲風光』 182, 183
『海泡石』 178, 179, 182, 183
『カイバル峠往還』 179, 180, 182, 185, 235
『福田陸太郎詩集』 236
『詩と詩論』 175, 181, 184
『東西相触れるとき』 230
「二十世紀の詩に向けて——カール・シャピロの思い出と共に」 236
福原麟太郎 126, 127, 176, 231, 233
藤原定家 142
二上山 42, 43
双葉山 35
仏教 22, 30, 31, 38, 46, 58, 67, 130, 134, 135, 143-145, 269, 272, 280
物質還元主義 13, 14, 17
ブラウニング，ロバート（Robert Browning） 154
プラクシテレース（Praxitelēs） 39, 40
『ヘルメースと幼子ディオニューソス』 39, 40
プラスタグス（Prasutagus） 92
プラトーン（Platōn） 13, 14, 34, 36, 204, 205
『饗宴』 34
「十番目の詩女神」 36
『ティマイオス』 14
『パイドロス』 14
フランス革命 20
E. M. プリティ夫人（Mrs Edith May Pretty） 109

ニューディゲート賞（Newdigate Prize） 153
ニュートン（Isaac Newton） 53, 54
ニューヘレニズム 36, 82
ニューマン（John Henry Newman） 151
人間宣言 72

【ヌ】

ヌマの宗教 201

【ネ】

根尾川 78, 85, 270
ねたむ神 18, 19
『涅槃経』 13
ネブカドネザル二世（Nebuchadnezzar） 15
ネロ（Nero） 93

【ノ】

農耕儀礼 20
法爾自然 15, 47, 49, 134, 204
乃木希次 37
乃木希典 37, 38, 45, 95, 279
　『日本精神作興 乃木修養訓』 37
　　「吉田松陰論」 37
乃木神社 95
ノリッヂ（Norwich） 165
ノリッヂ大聖堂 165
ノルマンディー公ウィリアム（William, Duke of Normandy） 113
ノルマンディー公ロロ（Rollo, the 1st Duke of Normandy） 113

【ハ】

ハーン，チャールズ・ブッシュ（Charles Bush Hearn） 27
ハーン，ラフカディオ（Lafcadio Hearn） 27, 28, 47, 167-169
　『昆虫とギリシア詩』（*Insects and Greek Poetry*） 47
ハウスステッヅ・ローマン・フォート（Housesteads Roman Fort） 106
パウリヌス，スエトニウス（Suetonius Paulinus） 96
パウンド，エズラ（Ezra Pound） 233
ハガール・イム（Hagar Qim） 86
白夜 65, 118, 120, 121, 123, 195
白楽天 141
硲伊之助 77
芭蕉 46, 61, 65, 199, 203, 204, 211, 264, 274
バタヴィア人（Batavians） 103
パティスン夫人，マーク（Mrs. Mark Pattison） 151
バディチェニ（Badiceni） 277
ハドリアヌス（Hadrianus） 98-100, 103, 105
ハドリアヌスの長城（Hadrian's Wall） 98-100, 103, 105
バビロン捕囚 15
原敬 167
パルテノン神殿 94
パルメニデース（Parmenidēs） 49, 206
判断の停止 131, 132

「現成公案」　49, 135, 213
「身心學道」　48
「洗淨」　43
「佛性」　48, 269
「禮拜得髓」　31
ドゥブリス（Dubris）　103, 105
ドーヴァー（Dover）　99, 103
トゴドゥムヌス（Togodumnus）　98, 99
杜甫　141
トミス（Tomis）　94, 95, 272, 273
トリノヴァンテス族（Trinovantes）　93
トルコ語　56
トロイエー戦争　47

【ナ】

永井荷風　219
永田龍太郎　230
中臣朝臣東人　24
中原中也　220
中村真一郎　128, 271
「忘れられない本」　271
中山節子　168
中山太郎　168
中山安乃　168
長与専齋　33
長良川　78-81, 84, 85, 266-268, 270
那須温泉神社　71
那須余一　71
夏目漱石　220
楢原健三　77
「汝自身になれ」　82

【ニ】

『ニウ・ワールド』　176, 231, 232
二項対立　25
西川徹郎　143-146
西脇順三郎　63, 64, 66, 81, 82, 124, 127-135, 138, 153, 163, 175-178, 180-184, 198, 206, 207, 218, 222, 223, 230-235, 266
『*Ambarvalia*』　182-184, 206
"January in Kyoto"　233
「OBSCURO」　129
『あむばるわりあ・旅人かへらず』　233
『近代の寓話』　133, 183, 231
「道路」　133
「夏の日」　231, 232
『旅人かへらず』　176, 183
『梨の女』　132
「詩と眼の世界」　129
「詩の幽玄」　130
『西脇順三郎対談集』　127, 129, 176, 231
『メモリとヴィジョン』　63
「GEORGE MOORE」　63
「考えをかくすもの」　81, 133
『諷刺と喜劇』　64
「現代文學回顧」　64
日展　77-79
新渡戸稲造　72, 279, 280
『武士道』（*Bushido*）　279, 280
日本國憲法　20, 21, 278
『日本書紀』　42, 279
ニューカースル（Newcastle）　99

田川七左衛門　33
ダキア（Dacia）　103, 272, 273
ダグラス，アルフレッド（Alfred Douglous）　52
武田勝彦　63, 66, 126, 218-221
　月刊誌『知識』　220
　『サリンジャーの文学』　219
　『漱石　倫敦の宿』　219
　『比較文学の試み』　63, 219
　「Pater の日本文学への投影」　220
竹本忠雄　227
但馬皇女　22
多神教　18, 22, 138
多即一　17, 75, 204
立原正秋　219
立松和平　145
谷崎潤一郎　233
種田山頭火　65, 144
タネット島（Isle of Thanet）　105
ダブリンのダンリン　223
田部重治　66, 118, 218
玉木文之進　37, 38
タルシーン（Tarxien）　86
「男児なにをもてか貴ならん」　32, 36
『歎異抄』　19

【チ】

『地球』　236
調和的拮抗　40, 46, 129
直観　28, 46, 47, 49, 127, 185, 204-206, 211, 268, 270
地霊　89, 115

【ツ】

津田梅子　41
ツングリ人（Tungrians）　103

【テ】

デアラ王国（Kingdom of Deira）　105
ディア街道（Dere Street）　104-106
定型俳句　145
鄭芝龍　33
鄭成功　33
ティツィアーノ（Tiziano）　57
ディベート　44, 45
デウァ（Deva）　103
デーンロー（Danelaw）　108, 111
敵対的拮抗　35, 46
テニスン，アルフレッド（Alfred Tennyson）　154
天皇皇后両陛下（現上皇上皇后両陛下）　227, 228
　『ともしび』　227

【ト】

土居光知　175
　『無意識の世界』　175
陶淵明　141
東京銀座画廊・美術館　78
道元　13, 31, 32, 36, 37, 43, 48, 81, 134, 213, 257, 269
　『正法眼藏』　31, 36, 43, 48, 49, 213, 269
　　「恁麼」　49

聖徳太子　279
昭和天皇　68, 71, 72, 227, 228
ジョーヴィック・ヴァイキング・センター（Jorvic Viking Centre）　111
ジョンソン，サミュエル（Samuel Johnson）　47, 48
Lives of the English Poets　48
人権　20, 38, 39, 278
『新古今集』　142
神道　16, 20, 272, 280
神武天皇　270
「申命記」　27

【ス】

スウィンバーン，アルジャノン（Algernon Charles Swinburne）　16, 53, 61, 62, 119, 153, 154, 158
『ソネット（「モーパン嬢」に寄せて）』　61
ステインゲイト（the Stanegate）　100, 104-106
ストーンヘンジ（Stonehenge）　89, 91
スノードン教授（Paul Snowden）　219
スパルタ（Sparta）　26
スピネイ，ヴァシレ（Vasile Spinei）　276, 277
『修道士のほほえみ』（The Monk's Smile）　277
『野薔薇の生垣』（Eglantine Hedge）　276, 277

【セ】

政教一致　18
政教分離　19, 20
「精神と感覚の黄金の書、美の聖典」　53, 61, 119
聖明王　30
西洋民主主義　20, 21, 25, 26, 279
セザンヌ（Paul Cézanne）　266
「絶対的一者」（"the One, the Absolute"）　206
セットフォード（Thetford）　91, 165
禅　46, 48, 49, 75, 78, 85, 130, 213, 269
全一形態　204
全国海づくり大会　77
戦後民主主義　34, 39, 278
船葬墓　109, 112, 115

【ソ】

相互依存性　22, 31, 38, 46, 47
相互浸透性　22
相互補完性　22, 25, 26, 30, 31, 34-36, 38, 47, 67, 278
「創世記」　14, 16
相対的思考　31, 44, 278, 280
ソークラテース（Sōkratēs）　18
ソール（Thor）　18, 89
ソルウェイ湾（Solway Firth）　99

【タ】

タイン川（the River Tyne）　99, 100, 104
高島嘉右衛門　32
高田女王　23
高田誠　77
田川まつ　33

小堀遠州　268
ゴルガン（Gorgan）　114
コルストピトゥム（Corstopitum）
100, 104, 105
コルチェスター（Colchester）　92, 93, 99, 109
『ゴング』（*Gong*）　225
『金剛般若経』　134
コンスタンチノポリス
（Constantinopolis）　112, 113, 115
コンスタンツァ（Constanța）　94, 272, 274
コンモドゥス（Commodus）　101

【サ】

齋藤茂吉　30
サットン・フー（Sutton Hoo）　109-112, 114, 115
サッポー（Sappho）　23, 26, 36, 204, 205
『サフラン摘み』（クレタ絵画）　88
作用因　15
澤井勇　147, 148, 151, 156
サン・クレール・シュル・エプト条約（The treaty of Saint-Clair-sur-Epte）
113

【シ】

詩歌教育　45
GHQ　18, 20, 34, 278
シェープ（John Campbell Shairp）　156
ジェルマン＝トマ，オリヴィエ
（Olivier Germain-Thomas）　227
自我　45, 132-135, 192, 193, 278
式子内親王　142
質量因　15
死の意識と美の願望　205
死の美学　200, 212
「自分自身になれ」　36
シモーニデース（Simōnidēs）　81, 82
シモンズ，アーサー（Arthur Symons）
52, 62-64, 156
『文学の象徴主義運動』　63
『ワイルドとペイター』　52
Studies in Prose and Verse　62
ジャウイット，ベンジャミン
（Benjamin Jowett）　147-149, 156
シャピロ，カール（Karl Shapiro）
228, 236, 237
ジャポニスム　116, 278
シャルル三世（Charles III）　113
シャルルマーニュ（Charlesmagne）
108
ジャンヌ・ダルク（Jeanne d'Arc）　26, 27
宗教戦争　20
十字軍　17, 164
集団的祭礼　18
十七條憲法　279
自由律俳句　144
シュールレアリスム　146
「出エジプト記」　19
ジョイス，ジェイムズ（James Joyce）
223
松下村塾　37
上皇后陛下　77, 227
上皇陛下　77
象徴天皇　20, 21

209, 212-215, 218, 270-272
『ウォールター・ペイター短篇集』（昭和 59 年南雲堂版）　199, 214, 271
『ウォルタア・ペイタア短篇集』（昭和 5 年岩波版）　214, 271
『ことばと文学』　198, 207, 209
「ウォールター・ペイター論考」　207, 208
「詩における『曖昧』について」　209
『文学のよろこび』　65, 189, 196-198
「文体について」　65, 196, 198
『無意識の世界』　175
クノッソス　86, 87
クノベリヌス（Cunobelinus）　98
クライド湾（Firth of Clyde）　104
グライムズ・グレイヴズ（Grime's Graves）　91, 92
クラウディウス（Claudius）　92-95, 99, 105
クラウディウス神殿　93-95
厨川白村　220
クレタ（Crete）　58, 86-88
クレタ文明　58, 86
クロフォード，アリシア・ゴスリン（Alicia Goslin Crawford）　28

【ケ】

ケーディス，チャールズ（Charles Louis Kades）　20, 27, 28
氣多大社　68, 69, 228, 229
ゲタエ族　272, 273
ゲニウス・ロキ（genius loci）　89, 121
ケルト　86, 90, 92, 93, 96-98, 107, 128
ゲルマン的象徴思考　31, 45, 47, 48, 54, 67, 85, 129, 133, 134, 146, 204, 268, 278, 279
原子論　16, 53
ケント（Kent）　99, 103, 105, 106, 110
ケンブリッヂ（Cambridge）　91, 117, 226, 227, 236, 237

【コ】

小泉凡　168
「好奇心と美の願望」　205
皇后陛下（現上皇后陛下）　77, 227, 228, 230
『瀬音』　226, 227
黄庭堅　142
皇統　18, 72
ゴーチェ（Théophile Gautier）　61, 62
コーブリッヂ（Corbridge）　100, 102, 104
五箇條の御誓文　279
国立新美術館　78
『古事記』　22, 44, 45, 65, 199, 270
児島　28-30
ゴス，エドマンド（Edmund Gosse）　155
コッドレスク，イオン（Ion Codrescu）　224, 273-276
The Wanderer Brush（『漂泊者　筆』）　275, 276
ゴトランド島（Gotland）　114
コバディン（Cobadin）　274
小林定義　220
ゴフ，ジャック・ル　26

『了見』 274
加藤郁乎展 274, 275
『加藤郁乎俳句英訳百句選』(*100 Selected Haiku of Katō Ikuya*) 274
カトゥウェッラウニ族(Catuvellauni) 98
加藤栄三・東一記念美術館 80
カピトリーノ(Capitolino) 97
神の啓示 17, 18
神谷光信 177
『評伝 鷲巣繁男』 177
カムロドゥヌム(Camulodunum) 93, 99
カメロット(Camelot) 107
仮面 132, 195, 215
鴨長明 268
カラタクス(Caratacus) 98
ガリア 97-99, 103, 272
『ガリア人とその妻』(*Galata suicida*) 98
カリマコス(Kallimachos) 141
カレドニア(Caledonia) 99
カロバーグ(Carrawburgh) 100, 101
川口昌男 236, 237
川端康成 219, 233
川村二郎 65, 66, 118-123, 271
『日本廻国記 一宮巡歴』 122
『イロニアの大和』 122
『白夜の廻廊』 65, 118, 123
カンナロッツィ, サム(Sam Cannarozzi) 224
「甘美性と力強さ」 205

【キ】

キーツ(John Keats) 207, 212-214
『エンディミオン』 207
Negative Capability 213
機械論 13-17, 40, 41, 44, 46, 134, 278
機械論的宇宙観 13, 14
キシナウ(Chișinău) 277
キシラ島(Cythera) 27
岐阜グランドホテル 78
岐阜高島屋 77, 80
客観的自然主義 32
教皇権 19
形相因 15, 16
虚にして往き實にして歸る 223
ギリシア語 56
ギリシア人 17, 34-36, 39, 40, 45-47, 58, 95, 120, 134, 272-274
ギリシア的合理思考 54, 129, 134, 206, 278
ギリシア哲学 14, 147, 205
キリスト教 16-20, 27, 34, 53, 54, 58, 72, 138, 149, 150, 187, 201, 204, 207, 211
儀礼文化 20
近代科学 16, 17

【ク】

クィンティリアヌス(Marcus Fabius Quintilianus) 81
沓掛良彦 138-142
工藤好美 64-67, 118, 120, 127-130, 175, 189-192, 194, 196-200, 202, 207-

【エ】

エイヴベリ（Avebury） 89, 90
「永遠の流動」（“the Perpetual Flux”） 206
「永遠の流動は永遠の静」（“perpetual flux is perpetual rest”） 206
英国唯美主義 161, 222, 223
エヴァ 16, 34
エヴァンズ，ロレンス（Lawrence Evans） 271
エセックス（Essex） 93
エヂプト 57, 87, 165
『エッヂ』（Edge） 233
江戸風流 222, 223
エピクーロス（Epikouros） 15-17, 40, 49, 53, 67, 85, 88, 130, 133, 178, 211, 213
エボラクム（Eboracum） 103, 104
エリオット T. S.（Thomas Stearns Eliot） 162, 178
エリオット，ジョージ（George Eliot） 162, 163
縁起 30, 46
縁起説 46
『円盤投げ』（*Diskobolos*） 40

【オ】

オウィディウス（Publius Ovidius Naso） 94, 95, 272, 273
　『悲しみの歌』 94
　『黒海からの手紙』 95, 273
　『恋愛指南』 94
オヴィディウス大学（Universitatea Ovidius） 274
王権 19, 110
王権神授 19
『オーカッサンとニコレット』（*Aucassin et Niolette*） 39
大津皇子 41, 42
大手拓次 178
大伴旅人 24, 28, 29
大伴郎女 24
大伯皇女 42
大山舎松 41
緒方登摩 164, 166, 168, 169, 174
　『独標』 170
　『白衣の主日』 169
　『稜線』 164, 170, 174
　『DOMINICA IN ALBIS』 169
緒方英穂 168
　『同音異義語辞典』 168
荻野吟子 32, 33
「オスカーワイルドの機知」 153

【カ】

カーライル（Carlisle） 99, 100
カーライル，トマス（Thomas Carlyle） 160, 161
カエサル（Julius Caesar） 95, 98, 99
　『ガリア戦記』 98
『學藝』 231
カシマチ，ローザ（Rosa Cassimati） 27
ガッサンディ，ピエール（Pierre Gassendi） 16, 17, 53
加藤郁乎 222-225, 274, 275

アントニヌスの長城（Antonine Wall）104, 105
アンドロギュノス（androgynos） 34, 35

【イ】

イースト・アングリア（East Anglia）92
イーデン川（the River Eden） 99, 100
イケーニー族（Iceni） 92, 93
石井柏亭 77
イシグロ，カズオ（Kazuo Ishiguro）41
石黒忠悳 32, 33
伊邪那岐命 22, 35, 44, 86
伊邪那美命 22, 35, 44, 86
『和泉式部日記』 197
イスラエル（Israel） 15
イスラム教 17
板取川 74, 75, 78, 81, 84, 266-268
一神教 14-18, 20, 22, 31, 45, 278, 279
一水会 77, 78, 80
一水会精鋭展 78, 80
一即多 17, 75, 204, 206
伊藤整 123, 220
井上頼圀 33
井上靖 219
いのちへの郷愁 267-269; いのちの郷愁 29
イベリア人 89, 91
今城大王 23
今、ここ 88, 120
入らずの森 68, 70, 229
イングロット，ウィリアム（Willyam Inglot） 164-168
イングロット，ロヂャー・ジューリアス（Roger Julius Inglot） 164
インスケイプ（inscape） 174
インド・イラン神話 101
インド哲学 14, 144

【ウ】

ヴァイキング 18, 107-115
ヴァルスヤーデ（Valsgärde） 112, 114
ヴァレーグ 112, 113
ウィルトシャー（Wiltshire） 89
ウィンチェスター（Winchester） 107, 108
ウィンドランダ（Vindolanda） 102, 103, 105, 106
ヴェーダ 101
上田敏 63, 65, 126, 127, 199, 220
ウェリカ王（King Verica） 98
ウェルコウィキウム（Vercovicium）102, 106
ウェルラミウム（Verulamium） 96
ウェンタ・ベルガルム（Venta Belgarum） 107
ヴェンデル（Vendel） 112, 114
War Guilt Information Program 40
ウォーデン（Woden） 18
ウォットリング街道（Watling Street）96, 103, 105
ウォントサム海峡（Wantsum Channel）105

索　引

【ア】

アーサー王　90, 107
アーノルド，マシュー（Matthew Arnold）　148, 150-156, 161, 163
アーミン街道（Ermine Street）　103-105
アイルランド　63, 89
アウグスティヌス（Augustinus）　105
アウグストゥス（Augustus）　94, 95, 272
『青い鳥』（クレタ絵画）　88
青木藝術　80-82, 84, 85, 269
青木年広　74-77, 80-85, 266-269
　『青木年広作品集　TOSHIHIRO AOKI 2018』　80
　青木年広展（岐阜市主催）　80
　『朝の日差し・長良川』　267
　『美しき流れ・長良川支流』　80, 81, 266, 268
　『静物――今を生きる』　78, 79
　『清流・流れ込む』　266, 268
　『長良川・川風吹く』　78
芥川龍之介　220
アグリコラ（Agricola）　100
アゴーン（ἀγών）　35
アストン教授，スタンレー（Stanley Aston）　237
アダム　16, 34
アタラクシア（ataraxia）　40, 54, 88, 211
アトレバテス族（Atrebates）　98
アナクレオーン（Anakreōn）　141
「アプロディーテー讃歌」　204
阿倍郎女　24
アメリカ俳句協会（Haiku Society of America）　276, 277
有島生馬　77
アリストテレース（Aristotelēs）　15, 272
　『政治学』　272
アルフレッド大王（Alfred the Great）　107, 108
アレクサンドロス大王（Alexandros）　101, 141
『アングロ・サクソン年代記』（*Anglo-Saxon Chronicle*）　107
アングロ・サクソン　91, 105, 107, 113, 134
アントニーニ，ジャン（Jean Antonini）　225

著者略歴

昭和二十四年岐阜県生まれ
愛知大学大学院文学研究科元教授
日本文藝家協会・日本現代詩人会各会員
詩誌『未開』同人
日本ペイター協会元会長
平成十七年～十八年、ケンブリッジ大学英語学部及びダーウィン・コリッジ客員研究員

著作

『ペイタア——美の探求』永田書房、昭和六十一年
『ペイタリアン西脇順三郎』小沢書店、平成十一年
『加藤郁乎新論』沖積舎、平成二十一年、第十一回加藤郁乎賞受賞作
『英国唯美主義と日本』論創社、平成二十九年
『ペイター藝術とその変容——ワイルドそして西脇順三郎』論創社、令和元年九月
訳著アーサー・シモンズ『ワイルドとペイター』沖積舎、平成十三年
翻訳A・C・ベンソン『ウォルター・ペイター』沖積舎、平成十五年
翻訳ダンテ・ゲイブリエル・ロセッティ『いのちの家』書肆山田、平成二十四年
編訳著 *100 Selected Haiku of Katō Ikuya*（『加藤郁乎英訳百句選』）沖積舎、平成二十三年
編訳著（俳画・自註イオン・コッドレスク）*Ikuya's Haiku with Codrescu's Haiga*（『加藤郁乎俳句とイオン・コッドレスク俳画』）論創社、平成二十七年
詩集『流光』檸檬社、昭和五十六年
詩集『一元の音』花神社、平成三年
詩集『風紋』書肆山田、平成十八年
詩集『虚明』書肆山田、令和二年

谿聲山花（けいせいさんか）

二〇二一年八月二〇日　初版第一刷印刷
二〇二一年八月三〇日　初版第一刷発行

著　者　伊藤　勳

発行者　森下紀夫
発行所　論創社
東京都千代田区神田神保町2-23　北井ビル
tel. 03（3264）5254　fax. 03（3264）5232
web. https://www.ronso.co.jp/
振替口座　00160-1-155266

装幀／奥定泰之
組版／フレックスアート
印刷・製本／中央精版印刷
ISBN978-4-8460-2067-5